扫码听刘文飞讲
《普希金诗选》

·世界文学名著名译典藏·

插图精华本

普希金诗选

〔俄罗斯〕亚历山大·谢尔盖耶维奇·普希金◎著　穆旦◎译

СТИХОТВОРЕНИЯ А.С.ПУШКИН

长江出版传媒　长江文艺出版社

图书在版编目（ＣＩＰ）数据

普希金诗选 / （俄罗斯）亚历山大·谢尔盖耶维奇·
普希金著；穆旦译. -- 武汉：长江文艺出版社，
2018.5（2019.4 重印）
（世界文学名著名译典藏）
ISBN 978-7-5702-0302-4

Ⅰ. ①普… Ⅱ. ①亚… ②穆… Ⅲ. ①诗集－俄罗斯
－近代 Ⅳ. ①I512.24

中国版本图书馆 CIP 数据核字(2018)第 062087 号

责任编辑：叶　露　　李婉莹　　　　　责任校对：陈　琪
封面设计：格林图书　　　　　　　　　责任印制：邱　莉　　王光兴

出版：长江出版传媒 | 长江文艺出版社

地址：武汉市雄楚大街 268 号　　　　邮编：430070
发行：长江文艺出版社
电话：027—87679360
http://www.cjlap.com
印刷：长沙鸿发印务实业有限公司

开本：880 毫米×1230 毫米　　1/32　　印张：8　　插页：4 页
版次：2018 年 5 月第 1 版　　　　2019 年 4 月第 2 次印刷
行数：2900 行

定价：29.00 元

说不尽的普希金

（代序）

　　普希金和他的诗歌，是个常说常新的话题。

　　翻开俄罗斯文学史，你会看到普希金拥有许多辉煌的头衔，比如"俄罗斯诗坛的太阳""现代俄罗斯文学之父""俄罗斯现实主义文学的先驱"等等，这些都是后世的评论家、学者、教授们的说法。他们推崇诗人普希金的才华，充分肯定普希金在文学史上的地位，他们这样说自然有他们的道理。

　　不过，这些赞美之辞，都是诗人身后的荣耀。普希金的一生并不顺利，反倒是历经坎坷，屡遭苦难。他十一岁离开父母，在皇村中学上学，其间有欢乐也有烦恼；中学毕业后，诗人进入外交部担任译员，不久就因为创作《自由颂》引起沙皇震怒，因而受到迫害，刚刚二十岁就被流放到俄国南方，受上司监管，不得自由行动；二十四岁时，又因得罪南方总督，被解除公职再次流放，囚禁在北方普斯科夫省一处偏远的庄园里，受当地官员和教会的双重监管。

　　看看普希金怎么样进行自我评价，对我们理解诗人的个性或许会有所启发。1814年，十五岁的少年诗人用法语写了一首诗，题为《我的肖像》，其中有这样的诗行："打从在课堂里面上课，小小年纪我就很顽皮；人不笨，说话不胆怯，不扭捏也不故作谦虚。""我爱看芭蕾也爱看戏，假如能更加坦率地说，倘若我不在皇村学习，我的爱好肯定会更多……""向来淘气的一个顽童，相貌与猴子有些相像，过于轻浮，不知稳重，普希金就是这般模样。"（普希金的外曾祖父是黑人，因此他有黑人血统，皮肤微黑，头发卷曲，嘴唇很厚，性格冲动，同学给他起的外号就是"猴子"。对此他倒坦然接受，并不忌讳。）

1815 年，普希金还用调侃的文字写下了短诗《我的墓志铭》：

> 这里埋葬着普希金；他一生快乐，
> 陪伴着年轻的缪斯、懒散和爱神；
> 没做过什么好事，不过老实说，
> 他从心眼里倒是个好人。

显然，追求快乐，钟情于诗歌创作，喜欢谈情说爱，是普希金与生俱来的天性。然而，他的秉性跟他所处的社会环境产生了矛盾，在沙皇统治下的专制农奴制社会，只有沙皇和贵族能享受自由，诗人追求个性自由，同情被剥夺了自由权利的人民，抨击"王位上的罪恶"，自然会引起当权者的愤恨与报复，从而接连遭受迫害，颠沛流离也就在所难免。然而，诗人不改初衷，毕生坚持自己的理想和信念，写于 1836 年的《纪念碑》仿佛是对平生的最后总结：

> 我将被人民喜爱，他们会长久记着
> 我的诗歌所激起的善良的热情，
> 记着我在这冷酷的时代歌颂自由，
> 并且为倒下的人呼吁宽容。

毕生保持善良的情感，在严酷的时代歌颂自由，为惨遭镇压的十二月党人呼吁宽容，这的确是普希金的历史功勋。十二月党人以他们的行动向专制政体宣战，普希金则以自己的诗歌为朋友呐喊助威："朋友啊！趁我们为自由沸腾，趁这颗自由的心还在蓬勃，让我们倾注这整个心灵，以它美丽的火焰献给祖国！"十二月党人起义惨遭镇压以后，五名领袖被处以绞刑，一百多人被流放西伯利亚服苦役，普希金依然冒着危险写了《寄西伯利亚》《阿里安》，坚信他的歌声能穿越幽暗的铁门，给朋友们以鼓舞，带给他们勇气，让他们坚持"高傲的忍耐"，坚信"牢狱会崩塌""枷锁将被打掉"，往日的战士，将会受到"自由的拥抱"。在争取民族解放和自由权利的斗争中，普希金的政治抒情诗成了俄罗斯人民宝贵的精神财富，被俄罗斯人视为历久不衰的战斗进行曲。

诚然，歌颂自由，只是普希金诗歌的一个组成部分，而不是全部内容。普希金以优美动听的语言赞美爱情，像《给克恩》《酒神之歌》《护身符》《圣母》，都是爱情诗当中的名篇。诗人一生珍惜与同学朋友的情谊，《给恰达耶夫》《给普希钦》堪称赞美友情的杰作。对农奴出身的保姆罗吉昂诺夫娜，普希金一直怀着感激的深情，《冬晚》《给乳妈》，是诗人真挚情感的最好见证。此外，《生命的驿车》阐发了人生的哲理，《假如生活欺骗了你》揭示了智慧而豁达的处世态度，《先知》《致诗人》和《回声》刻画了诗人肩负的使命及其面临的困境，《我又造访了》则对于未来"陌生一代"表达了期望。

普希金的抒情诗能够引起世世代代读者的心理共鸣，其奥妙何在？他的诗歌作品究竟有哪些艺术特色呢？概括起来大致有以下几点：首先，诗人关注社会人生，敢于针砭时弊，善于从现实生活汲取素材，作品具有浓郁的生活气息和时代精神；其次，诗人既善于在继承中创新，又善于在借鉴中开拓，从而形成了自己的艺术风格：明朗、坚实、从容。是他扩展了诗歌题材的领域，使诗的疆域更趋宽广，是他把俄罗斯诗歌从贵族沙龙中解放出来，走向平民百姓。另外，普希金的诗歌语言简洁，准确，质朴，优美；诗句音韵和谐，朗朗上口，便于诵读，因而也便于流传。最后，诗人高度重视诗歌的音乐性与艺术性，在体裁、格律和音韵方面勇于探索。由于具备了这些特点，普希金才把俄罗斯诗歌创作推进到一个前所未有的高峰。

果戈理在从事文学创作的道路上曾得到普希金无私的指点和

帮助，他所写的小说《死魂灵》、剧本《钦差大臣》，题材都是普希金为他提供的。因此他对普希金怀着终生景仰的心情。他对诗人的评价既崇高又深刻：

> 提起普希金，立刻就使人想到他是一位俄罗斯民族诗人。事实上，我们的诗人当中没有人比他高，也不可能比他更有资格被称为民族诗人。这个权利无论如何是属于他的。在他身上，就像在一部辞典里一样，包含着我国语言的一切财富、力量和灵活性。他比任何人都更多更远地扩大了我国语言的疆界，更多地显示了它的全部疆域。普希金是一个特殊现象，也许是俄国精神的唯一现象：他是一个高度发展的俄国人，这样的人说不定两百年以后才能再出现一个。在他身上，俄国大自然、俄国灵魂、俄国语言、俄国性格反映得如此明晰，如此纯美，就像景物反映在凸镜的镜面上一样。

普希金在世的时候，他的作品尽管受到许多评论家的好评，但绝没有后来那样受到普遍的推崇与重视，真正认识普希金诗歌的文学价值，应当归功于杰出的文学批评家别林斯基。正是凭借别林斯基精辟独到、极有说服力的分析，广大读者才认识到普希金及其诗歌是文学中的无价瑰宝。这里不妨引用这位评论家的一段文字，看他如何评析诗人的情感及其作用：

> 普希金每首诗的基本情感，就其自身说，都是优美的、雅致的、娴熟的；它不仅是人的情感，而且是作为艺术家的人的情感。在普希金的任何情感中永远有一些特别高贵的、温和的、柔情的、馥郁的、优雅的因素。由此看来，阅读普希金的作品是培育人的最好的方法，对于青年男女有特别的益处。在教育青年人的感情方面，没有一个俄国诗人能比得上普希金。

果戈理和别林斯基——都不愧是诗人普希金的艺术知音！

普希金不仅在俄罗斯拥有数不胜数的读者，他的作品还被翻译成一百多种外语版本，拥有众多的国外读者。显然，普希金是享有国际声誉的世界性大诗人。普希金在中国同样是最受欢迎的外国诗人。我国一位学者，号称"天府藏书家"的戴天恩先生，2005年自费出版了《百年书影》（四川天地出版社），其中收集了自1903年至2000年我国出版的普希金译作封面照片及内容简介，译作竟多达130种180册，光《叶甫盖尼·奥涅金》就有十种译本。翻译普希金诗歌、小说、剧本、童话的中国翻译家多达上百人，这是任何一个外国诗人都难以企及的文学现象，堪称中外文化交流的奇观！

在翻译普希金诗歌的翻译家当中，查良铮先生特别受人敬重。查良铮（1918—1977）是诗歌翻译家，也是诗人，他出生于天津一个书香门第，南开中学毕业后，考入清华大学外文系。二十世纪四十年代，查良铮以"穆旦"为笔名，相继出版了三部诗集：《探险队》（1945）《穆旦诗集》（1947）和《旗》（1948）。年轻的诗人，承载着民族的苦难与忧患，展现那时代真实的残缺与破碎，包括自己矛盾重重的内心世界。1953年初，查良铮在美国芝加哥大学获得英美文学硕士学位，随后与夫人周与良一道，克服重重困难，满怀报国热情返回刚刚解放的祖国，不久，被分配到南开大学外文系任教。

在西南联大校友肖珊和作家巴金敦促之下，查良铮开始翻译俄罗斯文学作品。他首先选择了普希金的抒情诗和长诗。1954年，巴金先生主持的平明出版社连续出版了查译普希金五本诗集：三部长诗《高加索的俘虏》《波尔塔瓦》《青铜骑士》，诗体小说《欧根·奥涅金》，包括一百六十首诗的《普希金抒情诗集》。查良铮以清新、质朴、流畅的译笔把普希金介绍给中国读者，形成了一次阅读普希金的热潮，广大读者欣赏普希金的诗，也记住了翻译家查良铮的名字。

1958年，因为曾在国民党军队担任校级翻译官，查良铮被打成"历史反革命"，从而失去了从事教学和进行诗歌创作与翻译的权利，在逆境当中，他并未消沉，反而以超乎想象的顽强与刚毅，默默承受命运的打击。他克服重重困难，利用一切可利用的时间坚持译诗。在伤病期间，还反复修改普希金的诗体小说《欧根·奥涅金》，并把普希金五百首抒情诗重新推敲、加工、润色，使译文质量日臻完美。

查良铮译诗有明确的译诗原则，他把诗的审美价值、诗的形式和音乐性，提到前所未有的高度。他认为译诗是创造性的艺术活动，译诗不仅仅是文字的传达，不仅需要驾驭诗歌语言与格律的才能，需要锲而不舍、精益求精的志趣，同样也需要与外国大诗人心灵相通的高尚人格和气质。因此，我们说，查良铮的诗歌翻译，是诗人的翻译，学者的翻译，他所翻译的诗歌更富有诗意，更具有学术性，更经得起时间的考验、读者的评判。

查良铮先生的诗歌翻译作品达到了形神兼备的高度。作家王小波推崇他的译作，在《我的师承》一文中写道，《青铜骑士》是他最爱读的作品。著名诗人公刘对查良铮的译诗有这样的评价："作为诗歌翻译家——另一种意义上的——穆旦是不朽的，他的许多译诗是一流的，是诗。不同语言的山阻水隔，竟没有困扰诗人的跋涉。人们将铭记他的功勋。"

但愿读者记住作家王小波和诗人公刘的话，阅读查良铮翻译的普希金诗歌，在阅读中走进普希金创造的既有激情又略带忧伤，既澄澈优美又多姿多彩的艺术境界。

谷羽

于南开大学龙兴里

目录

Contents

给娜塔丽亚① 1813

为什么我不敢把它说明？
玛尔戈最合我的胃口。

好，连我也清楚知道了，

丘比②特是怎样的一只鸟；

这热情的心感到沉迷，

我得承认——我也在热恋！

幸福的日子已经飞去

这以前，不知爱情的重担，

我只是生活而又歌唱，

无论在剧院，在舞乐厅中，

在游乐或是在舞会上，

我只像轻风一般飞翔；

并且，为了对爱神嘲讽，

我还把可爱的异性

可笑地描画过一番，

但这嘲讽啊，岂非枉然？

我终于也掉进了情网，

连我，唉，也爱得发狂。

讥笑，自由，——都抛在脑后，

凯图③吗，我已经退休，
而今我成了——赛拉东④！
一看到娜塔丽亚的秀丽
赛过侍奉塔利亚⑤的美女，
丘比特就射进我的心中！

所以，娜塔丽亚，我承认，
我心里满是你的倩影，
这还是初次，让我害羞说，
女人的美迷住我的魂灵。
一整天，无论怎样消磨，
你总是占据在我心里；
夜降临了，——也只有你
我看见在虚幻的梦乡；
我看见，仿佛穿着云裳，
可爱的人儿和我在一起；
她那怯懦而甜蜜的呼吸，
那洁白的胸脯的颤动，
洁白得胜过了白雪，
还有那半睁半闭的眼睛，
那幽幽不明的静静的夜——
啊，这一切多使人激动！……
仿佛我独自和她交谈，
我看见了……纯洁的百合，
不禁战栗，苦恼，沉默……
我醒来……只有一片幽暗
拥聚在我孤寂的床前！

我深深地叹一口气：
那倦慵的黑眼睛的梦，
唉，已经展开翅膀飞去。
我的热情燃烧得更凶，
每过一刻，折磨人的爱情
就使我变得更为疲弱。
我的脑中总在追求什么，
但有什么用？从没有男人
肯把意愿对女人明说，
反而这样或那样掩遮。
我呢——却想把心事说明。

一切恋人意愿的东西
甚至连自己也不知道；
这种怪癖真令我惊奇！
我却愿意裹着外套，
斜戴着紧箍的小帽，
趁天色昏黑，像菲里蒙
握着安妞达的柔软的手⑥，
一面说明爱情的苦痛，
一面就把她拥为己有！
我但愿：你像是娜左拉⑦，
以温存的目光把我挽留，
或者我像小巧的罗金娜
所爱的白发的奥倍肯⑧，
那被命运遗弃的老人
戴着假发，披着宽大斗篷，

以他鲁莽的、火热的手
在雪白的柔胸上抚摸……
我愿望……但一海相隔，
我却不会在海上行走，
尽管我爱你爱得发疯，
但我们既然不能聚首，
我的一切想望有什么用？

然而，娜塔丽亚！你还不知
谁是你温柔的赛拉东，
你不明白，为什么甚至
连希望我都不敢怀一丝，
娜塔丽亚啊，我还要解释：

我不是后宫的所有主^⑨，
不是土耳其人，或黑奴。
猜我是懂礼的中国人
或美洲的生番也错误。
别以为我也是德国佬，
手拿啤酒杯，头戴着尖帽，
手卷的纸烟总不离嘴。
别以为我是个骠骑兵
手执长刀，头顶着钢盔，
我可不爱战争的喧声，
我不能为了亚当犯过罪，
就把刀剑和斧重压在手中。

"那么你是谁，絮叨的恋人？"

看啊，请看那高耸的院墙，

它飘下寂静底永恒的暗影，

请看那紧锁着的门窗，

其中只有幽灯在放明……

娜塔丽亚啊，我……是苦修僧⑩！

注 释:

① 娜塔丽亚是 B.B. 托尔斯泰在皇村的剧院中的农奴女演员。题词摘自法国作家肖德尔罗·德·拉克罗的《致玛尔戈书简》(1774 年)，其中对国王宠爱杜巴丽侯爵夫人加以嘲讽。普希金引用它以示娜塔丽亚出身寒微。

② 丘比特，希腊神话中的爱神，他是一个有翅的、手执羽箭的神童。

③ 凯图，公元前一世纪的罗马政治家和禁欲主义哲学家。诗人戏比自己。

④ 赛拉东，多愁善感的人，原为法国作家尤尔菲的小说《阿斯垂》(1617 年)中的主人公。

⑤ 塔利亚，司喜剧的女神。

⑥ 菲里蒙和安妞达是阿伯列西莫夫的歌剧《磨坊主——吹牛骗人的魔法师》中的角色。

⑦ 娜左拉是沙宁的歌剧《被愚弄的守财奴》中的女主角。

⑧ 罗金娜和奥倍肯是法国作家博马舍的戏剧《西维尔的理发匠》中的人物。

⑨ 指土耳其苏丹。

⑩ 在中学时代的诗中，普希金常将自己戏比为苦修僧，将学校比作寺院。

普希金的妻子娜塔利亚·尼古拉耶夫娜·冈察罗娃

告诗友① 1814

阿里斯特！连你也挤来侍奉巴纳斯②！
你竟想驾驭顽强不驯的彼加斯③；
为了桂冠，你跑上了危险的途径，
你居然敢和严刻的批评交锋！

阿里斯特：相信我吧，放下你的笔，
忘掉那凄凉的坟墓、树林和小溪；
别在冰冷的歌曲中燃烧着爱情，
快下来吧，免得你跌下了高峰！
就是没有你，诗人也总是够多的；
他们印出诗——世人紧接着忘记。
也许，就在此刻，远离尘世的喧嚣，
和愚蠢的缪斯结了永生的友好，
在敏诺娃④平静的荫护下，隐藏着
另一部《蒂列马赫颂》⑤的另一个作者。
你该怕那没脑筋的诗人的命运，
他们成堆的诗行活要我们的命！
后世给诗人的供奉很合情理：
宾得山⑥上有桂花，但那里也有荆棘。
别惹上臭名吧！——假如阿波罗⑦听见

连你也想爬上赫利孔山，那怎么办？
假如他轻蔑地摇摇蓬松的头，
把救人的藤鞭当作你天才的报酬？

但那怎样？你皱着眉头想要回答；
"请原谅吧，"你对我说，"不要多废话；
当我决定了什么，我就绝不灰心，
要知道，我命运不济，才拿起竖琴。
就让举世批评我吧，随它高兴，
不管它怒吼，詈骂，我是把诗人当定。"

阿里斯特：诗人并不只是凑韵律，
尽管你拿笔乱涂，用纸毫不吝惜。
要写好诗可不像维特根斯泰因[⑧]
战胜法国人似的那么得心应手。
固然狄米特里耶夫、杰尔查文[⑨]、
罗蒙诺索夫[⑩]，罗斯不朽的歌者和骄矜，
既促进健全的理性，又给我们教导，
可是，有多少书啊刚一出生就死掉！
凑韵托夫、伯爵弗夫的轰响的诗篇
和沉闷的比布罗斯在书铺里腐烂[⑪]，
谁还记得他们？没人看那些胡话，
阿波罗的诅咒在他们身上印下。

假定说：你幸运地爬上了宾得山，
又公正地得到一个诗人的头衔，
大家读你的作品，都感到满意。

好，是否你猜想：那时候冲着你
财宝就源源而来，只为你是诗人，
那时候你就可以包收国家的税金；
铁柜里储藏着金币，你侧身躺着
就可以安安静静地养神和吃喝？
亲爱的朋友，作家可不这么有钱；
命运既不给他们大理石的宫殿，
也不给他们把金条装满铁箱；
地下的陋室，高楼顶上的堆房——
这就是他们辉煌的宫殿和居室。
人人颂扬诗人，但养活他的只有杂志，
幸运女神的车轮总驰过他而不顾。
卢梭 ⑫ 赤身而来，又赤身走进坟墓；
卡门斯 ⑬ 和贫民伙睡在一张床上，
柯斯特罗夫 ⑭ 在顶楼里孤寂地死亡：
是陌生人的手把他送进了坟墓。
声名只是梦；他们的生活是一串痛苦。

现在，你好像开始有点顾虑和踌躇。
你说："为什么把一切说得这样刻毒？
我们可以好好地谈论诗呀，然而
你挑剔一切就像再世的久文纳尔 ⑮。
既然你和巴纳斯的姊妹 ⑯ 起了争吵，
为什么又使用诗行来把我教导？
你可精神正常？我对你有什么办法？"
阿里斯特，别多说了，这就是我的回答：

我记得在乡间，一个年老的牧师
头发花白了，心满意足而且正直，
他在纯朴的俗人中和善地过活，
很久以来，人说他是第一名智者。
有一次，他参加婚礼，喝了几大杯，
傍晚的时候走出来，有几分醉；
恰巧在路上，他碰见了几个农夫。
这些傻瓜对他说："喂，请了，神父，
你告诫我们罪人，说喝酒不好，
你老是教我们保持清醒的头脑，
我们信了你；可是，今天你自己怎么……"
"听着我的吧，"牧师对那些庄稼汉说，
"我在教堂里传道，你们遵照去做，
你们活得很好，可是——可不要学我。"

现在，我也要用这句话对你来答复，
是的，我不想改正自己，一点也不：
谁要是对诗没有嗜好，那才够幸福，
他过着平静的一生，没有思虑和痛苦；
他不必给杂志压上自己的颂诗，
或者为了即兴诗，做几星期的苦思！
他不喜欢在巴纳斯的高峰上散步；
纯洁的缪斯、烈性的彼加斯都不追逐；
拉玛珂夫⑰拿起笔来不会使他吃惊：
他平静而快乐。阿里斯特啊，他不是诗人。

可是，理讲得够了——我怕使你厌烦，
这讽刺的笔调也许教你难堪．

亲爱的朋友，这就是给你的建议：

你要不要沉默，放下你的芦笛？……

通盘想一想吧，两者随你选择：

著名固然很好，安静更加倍的难得。

注 释：

① 这是普希金生平发表的第一篇作品，一说是写给他的中学好友 B.K. 久赫里别克尔 (1797—1840) 的，另一说是写给"座谈会"派的诗人，他们经常是卡拉姆金派讽刺的对象。"阿里斯特"是戏剧中常使用的名字。

② 巴纳斯山，和赫利孔山一样，希腊神话中为太阳神阿波罗居住的地方。

③ 彼加斯，希腊神话中有趣的马，象征诗的灵感。

④ 诺敏娃，罗马神话中司智慧和艺术的女神。"在敏诺娃的荫护下"通常指"在学校中"。

⑤《蒂列马赫颂》是 B.K. 特列佳科夫斯基的枯燥的史诗。

⑥ 宾得山，希腊山名，象征诗国。

⑦ 阿波罗，希腊神话中的太阳神，诗歌和音乐的保护者。

⑧ 维特根斯泰因 (1768—1842)，是参加击败拿破仑之役的俄国将军。

⑨ 狄米特里耶夫 (1760—1837)，俄国诗人。杰尔查文 (1743-1816)，俄国诗人，著有《致费丽察》等颂诗。

⑩ 罗蒙诺索夫 (1711—1776)，俄国文学家和科学家。

⑪ 凑韵托夫、伯爵弗夫、比布罗斯是普希金起的三个绰号，戏指"俄国文学爱好者座谈会"中的三个写诗的人 C.A. 西林斯基—西赫玛托夫，Д.И. 赫瓦斯托夫伯爵和 C.C. 鲍布罗夫。

⑫ 让·巴蒂斯特·卢梭 (1670—1741)，法国抒情诗人，鞋匠之子，他死于流放和贫困中。

⑬ 卡门斯 (1524—1580)，葡萄牙诗人，死在救济院中。

⑭ 柯斯特罗夫 (1750—1796)，俄国诗人，一生贫困。

⑮ 久文纳尔 (60—130)，罗马讽刺诗人，他的诗尖刻地讽刺了当时罗马社会的罪恶和风习。

⑯ "巴纳斯的姊妹"指缪斯，一共是九个女神，司诗歌、音乐、艺术等。巴纳斯是缪斯的圣地 (有一个山头奉献给了阿波罗)。

⑰ 拉玛珂夫，指 П.И. 玛卡洛夫 (1765—1804)，俄国批评家，属卡拉姆金的一派。

理智和爱情 1814

少年达尼斯在追逐多丽达；
"停停，"他叫道，"美人啊，停停；
只要你说'我爱'，我就不再
追赶你了，让维纳斯作证！"
理智说："不要理睬，不要理睬！"
但爱神说："向他说，你真可爱。"

"你真可爱！"牧女重复了一遍，
于是他们心里燃起了爱情；
达尼斯跪在少女的脚下，
多丽达垂下多情的眼睛。
"跑吧！跑吧！"理智直对她叮嘱，
但爱神那骗子却说："留住！"

她留下了。于是幸福的牧童
把她的手握在颤抖的手里。
他说："你看在那菩提树阴下，
有一对鸽子拥抱在一起！"
理智又不断说："跑吧，跑吧！"
"学一学鸽子！"爱神告诉她。

于是柔情的微笑泛过了
美丽少女的火热的嘴唇，
于是她倒在少年的怀里，
眼里充满了缱绻之情……
"愿你幸福！"爱神对她低声说，
而理智呢？理智已经沉默。

给妹妹① 1814

珍贵的朋友啊，你愿意
我——这年轻的诗人，
和你在纸上谈一谈心，
并展开幻想底羽翼，
拿起被搁置的竖琴，
离开这孤寂的寺院；
这儿有永不断的平静
悠悠没入一片幽暗，
只有它和沉郁相伴
统治着无声的修道院。
…………

你看我正迅如飞箭
要到涅瓦河边去拥抱
我金色的春天的知交，
就像柳德密拉的歌者②——
那幻想底可爱的俘虏，
我登上祖先的门庭，
要拿给你呀，不是黄金，
我本是贫寒的苦修僧，

只有以一束诗歌相赠。

我偷偷走进休息间，
尽管拿起笔，但也为难：
啊，我亲爱的妹妹，
我将怎样和你会谈？
我不知道在今晚，
你以什么作为消遣？
是在读卢骚，还是
把让利斯③摆在面前？
或是跟着汉密尔顿④
一起嬉戏，笑个不完？
或随着格雷、汤姆孙⑤，
浮游于幻想之翼，
到那绿原，去听轻风
正从树林吹入谷中，
而林梢的密叶在低语，
伴以山上泉涧的喧腾？
或者你正把老狮子狗
放在枕上，裹在围巾中，
并且轻轻爱抚着它，
好叫它和梦神相逢？
或者，像是斯维兰娜⑥，
你正站在涅瓦河上
沉思郁郁地望着远方？
或者，以轻快的手指
你弹着悠扬的钢琴，

使莫扎尔特复生⑦?
或是正在以清歌
仿效皮钦尼和拉莫⑧?

但无论如何,就这样,
我和你已经在一起。
你的朋友心花怒放,
好像明媚的春光
无言的喜悦在充溢。
分离之苦已被遗忘,
悲哀和厌倦了无痕迹。

唉,但这仅仅是梦想!
我仍是坐在寺院
对着一支暗淡的烛光,
独自和妹妹笔谈。
幽暗的禅房一片寂静,
铁闩紧紧插在门上,
欢乐被寂静监视着,
还有无聊在站岗。
我醒来环顾,只见有
摇晃的床,一张破椅,
盛水的杯子和芦笛。
幻想啊,那不过是你
赐给我幸福的片刻;
是你把我带去啜饮
迷人的希波克林⑨,

使我在禅房也能欢乐。

女神啊，要是没有你，
我不知该怎样生活。
我本习于繁华的梦，
却被命运诱到远方，
又突然处于四面墙中，
像是站在忘川岸上⑩，
永远被埋葬和幽禁；
栏门在身后吱嘎一响，
大千世界的美景啊
从此和我两茫茫！……
从此，我像个囚人，
望着外界，望着晨光，
即使太阳已经升起，
把金色的光线投进小窗，
我的心还是幽暗的，
它没有一点欢愉。 .
在黄昏，当天空的光
被暗云冉冉吞食，
我只忧郁地望着夜幕，
叹息又一天的消逝！……
我一面数着念珠，
一面含泪向栏外望去。

然而，时间不断流去了，
石门的闩将会跌落。

英俊的马儿就要

越过山峰，越过山谷，

奔向繁华的彼得堡。

我将离开幽暗的小屋，

奔向田野和自己的园地，

奔向我快乐的新居；

我将抛开禁锢的僧帽，

甘愿被贬出僧籍，

直投进你的怀抱。

注 释：

　　① 本诗是写给诗人的妹妹奥尔茄·赛尔盏耶夫娜·普希金娜的，她和父母当时住在彼得堡，而普希金在皇村中学，并戏比自己为苦修僧。

　　② 指俄国诗人 B.A.茹科夫斯基（1783—1852），《柳德密拉》是他的一篇民歌。

　　③ 让利斯（1746—1830），法国女小说家，写有许多训世题材的小说。

　　④ 汉密尔顿（1646—1720），法国作家，写有许多东方的神话和故事。

　　⑤ 格雷（1716—1771）和汤姆孙（1700—1748），英国诗人，作品富于伤感的情绪。

　　⑥ 斯维兰娜，是茹科夫斯基的同名长诗的女主人公。

　　⑦ 莫扎尔特（莫扎特），十八世纪奥地利作曲家。

　　⑧ 皮钦尼（1728—1800），意大利作曲家。拉莫（1683—1748），法国作曲家。

　　⑨ 希波克林，希腊神话中灵感的泉水。

　　⑩ 忘川，神话中冥府的河水，人饮其水便忘记生前的一切。

致巴丘希科夫^① 1814

游戏世间的哲人和歌者，
巴纳斯的幸福的懒人，
你被美神宠爱的娇弱，
可爱的缪斯的知心！
为什么在你的金弦上
沉默了欢乐的歌唱？
啊，年轻的梦幻者，难道你
也和菲伯^②终于分离？

你的金色的卷曲的头发
不再戴着芬芳的玫瑰花冠；
在那葱郁的白杨荫下，
你不再手执祝饮的金盏，
对着一群妙龄的女郎
把酒神和爱情歌唱；
你满足于美好的开端，
不再去摘巴纳斯的花朵，
啊，俄国的巴尼^③竟已哑然！……
唱吧，年轻人——蒂奥的歌者^④
给你灌注了温柔的情热。

丽列达，你妩媚的朋友，
她是你美好时日的欢愉，
对于你啊，爱情的歌手，
爱情就是报酬。还是调起
竖琴来吧。以欢跃的手指
在你那金弦上飞驰，
仿佛春风流过花朵；
请用悄悄的爱情的低语，
请用你的情欲的诗句，
把丽列达召向你的寒舍！
于是在那孤寂的室中，
当夜星泳向遥远的高空
给人间洒下苍白的光辉，
你一面倾听醉人的寂静，
一面流着幸福的热泪，
幸运儿啊，润泽美人的胸。
但是，尽管为爱情而陶醉，
可别忘了柔情的诗神！
有什么胜过幸福的爱情：
一面爱，一面以竖琴歌颂。

在悠闲的时候，当友朋
都来到你的住处聚会，
冒泡的美酒流得喧腾，
从禁闭中争向自由滚沸——
请以嬉戏不羁的诗歌
写出高谈阔论的宾客

如何在席间欢笑，叫嚷，
酒杯如何溢出了白沫，
明亮的玻璃如何碰响。
客人会以碰杯之声配合
他们在嘈杂的合唱中
对你欢乐的诗歌的朗诵。

诗人啊！请任意选择主题！
你也可以像茹科夫斯基⑤
以轰鸣的琴弦大胆弹唱
血战和战场上可怕的死亡。
你也曾和阵前的死亡相遇，
你啊，陷入了命运之网，
作为俄国人，也曾为荣誉
而倒下，几乎被死之镰刀
收割了去，永远枯凋⑥……

或者，为久文纳尔⑦所激励，
心中燃起讽刺的烈火，
你无妨吹起嘘人的哨笛，
可以打击和嘲笑罪恶；
如果可能，也可在笑谑中
指出缺点，将我们改正；
但请把特列佳科夫斯基
留给他常被打扰的沉寂。
唉，就是没有他，在现在
无聊的诗人已经够多，

这世上有足够的题材

值得你的笔去高歌！

可是我说这些做什么！……

我这无闻的诗人的芦笛

已经不敢将歌儿继续。

别了——但请记住这规劝：

你既然被缪斯所爱宠，

且请燃烧起诗灵的火焰；

既然你，当你被暗箭射中，

并不肯走入地下的家中，

那就忘记尘世的忧郁

而弹唱吧：年轻的纳森⑧、

爱神和格拉茜⑨会奖励你，

阿波罗将调理你的竖琴。

注 释：

　　① K.H. 巴丘希科夫 (1787—1855)，俄国诗人，对普希金的早期创作有相当影响。

　　② 菲伯，即太阳神阿波罗之别名，主宰诗歌及艺术等。

　　③ 巴尼 (1753—1814)，法国抒情诗人，著有爱情诗等。

　　④ 指古希腊诗人安纳克利融，以歌唱青春、酒及爱情著称。蒂奥是希腊地名，他的出生地。

　　⑤ 茹科夫斯基 (1783—1852)，俄国诗人，著有《俄国军营中的歌手》等。

　　⑥ 谁不知《一八〇七年回忆录》？（普希金注）

　　⑦ 久文纳尔（约 60-140），古罗马讽刺诗人。

　　⑧ 纳森，即罗马诗人奥维德（公元前 43—公元 18)，著有《爱的艺术》，以后被罗马皇帝奥古斯达流放。

　　⑨ 格拉茜，希腊神话中的三个女神，主宰美、优雅和欢乐。

皇村回忆[①] 1814

沉郁的夜的帷幕
　　悬挂在轻睡的天穹；
山谷和丛林安息在无言的静穆里，
　　远远的树丛堕入雾中。
隐隐听到溪水，潺潺地流进了林荫，
轻轻呼吸的，是叶子上沉睡的微风；
而凿寂的月亮，像是庄严的天鹅
　　在银白的云朵间游泳。

瀑布像一串玻璃的珠帘
　　从嶙峋的山岩间流下，
在平静的湖中，仙女懒懒地泼溅着
　　那微微起伏的浪花；
在远处，一排雄伟的宫殿静静地
倚着一列圆拱，直伸到自云上。
岂不是在这里，世间的神祇自在逍遥？
　　这岂非俄国的敏诺娃[②]的庙堂？

这可不是北国的安乐乡，
　　那景色美丽的皇村花园？

是在这里，战败雄狮的俄罗斯的巨鹰
　　回到恬静的怀里，永远安眠。
哦，我们黄金的时代一去而不复返了！
想那时，在我们伟大女皇的王笏下，
快乐的俄罗斯曾戴着荣誉的冠冕，
　　像在寂静中盛开的花！

在这里，俄国人踏着每一步
　　都能够引起往昔的回忆；
他只要环顾四周，就会叹息着说：
　　"一切已随着女皇逝去！"
于是满怀忧思，坐在绿茵的岸上，
他默默无言地倾听着轻风的吹动。
逝去的岁月会在他眼前一一掠过，
　　赞颂之情也浮上心中。

他会看见：在波涛当中，
　　在坚固的、铺满青苔的岩石上，
矗立着一个纪念碑，上面蹲踞着
　　一只幼鹰，伸展着翅膀③。
还有沉重的铁链和雷电的火箭
盘绕着雄伟的石柱，绕了三匝，
在柱脚周围，白色的浪头喧响飞溅，
　　然后在粼粼的泡沫里歇下。

还有一个朴素的纪念柱
　　直立在松树的浓荫里。

卡古尔河岸啊，它对你是多大的羞辱④！

    我亲爱的祖国，荣誉归于你！

哦，俄罗斯的巨人，从战争的阴霾中

你们锻炼和成长，你们必然永生！

哦，喀萨琳大帝的友人和亲信，

    世世代代将把你们传颂。

    噢，你战争轰鸣的时代，

    俄罗斯的荣誉的证人！

你看见了奥尔洛夫、鲁绵采夫、苏瓦洛夫⑤，

    斯拉夫的雄赳赳的子孙，

怎样用宙斯⑥的雷攫取了战场的胜利；

全世界都为他们勇敢的业绩所震惊。

杰尔查文和彼得洛夫在铿锵的竖琴⑦上

    曾经歌唱过这些英雄。

    可是你去了，难忘的时代！

    另一个时代很快地降临；

它看见了新的战争，和战争的恐怖，

    受苦竟成了人类的宿命。

恃强不驯的手举起了血腥的宝剑，

上面闪耀着帝王的狡猾和莽撞；

世界的灾星升起了——很快地燃烧了

    另一场战争的可怕的红光。

    在俄罗斯的广阔的田野

    像急流，驰过了敌人的铁骑⑧。

一片幽暗的草原躺在深沉的梦中，

　　土地缭绕着血的热气。

和平的村庄和城市腾起黑夜的火，

远远近近，天空披上了赤红的云裳，

茂密的森林掩遮着避难的人民，

　　锄头生了锈，躺在田野上。

　　敌人冲撞着——毫无阻拦，

　　一切破坏了，一切化为灰烬。

别隆娜⑨的危殆的子孙化为幽灵，

　　只有结为空灵的大军。

他们或者不断落进幽暗的坟墓，

或者在森林里，在寂静的夜晚游荡……

但有人呐喊！……他们走向雾迷的远方！

　　听那盔甲和宝剑的声响！……

　　战栗吧，异国的铁骑！

　　俄罗斯的子孙开始行进；

无论老少，他们都起来向暴敌袭击，

　　复仇的火点燃了他们的心。

战栗吧，暴君！你的末日已经近了，

你将会看见：每一个士兵都是英雄；

他们不是取得胜利，就是战死沙场，

　　为了罗斯，为了庙堂的神圣。

　　英俊的马儿斗志勃勃，

　　山谷里撒满了士兵，

他们一排又一排，为了光荣和复仇，
　　义愤的火填满了心胸。
他们一齐向着可怕的筵席奔来，
刀剑要求虏获：战斗在山间轰响，
在烟尘弥漫的空中，刀和箭铮鸣，
　　鲜血溅洒在盾牌上。

　　敌人败亡，俄罗斯胜利了！
　　傲慢的高卢⑩人往回逃窜；
但是，天庭的主宰对这百战的枭雄
　　还恩赐了最后一线慰安。
我们皓首的将军⑪还不能在这里
把他降服——噢，波罗金诺血染的战场！
你没有使那高卢人的狼子野心就范，
　　把他囚进克里姆林⑫的城墙！……

　　莫斯科啊，亲爱的乡土！
　　在我生命的灿烂的黎明，
我在你怀里掷去了多少黄金的时刻，
　　不知道忧伤和不幸。
啊，你也曾面临我的祖国的仇敌，
鲜血染红了你，火焰也曾把你吞没，
而我却没有牺牲性命为你复仇，
　　只枉然充满着愤怒的火！

　　莫斯科啊，栉比的高楼！
　　我祖国之花而今在哪里？

从前呈现在眼前的壮丽的都城，
　　　现在不过是一片荒墟；
莫斯科啊，你凄凉的景象使国人震惊！
沙皇和王侯的府邸都已毁灭，消失，
火焚了一切，烟熏暗了金色的圆顶，
　　　富人的大厦也已倾圮。

　　　请看那里，原来是安乐窝，
　　　周围环绕着树木和亭园，
那里飘浮过桃金娘的清香，菩提树在摇摆，
　　　现在却只是焦土一片。
在夏天的夜晚，那静谧美妙的时光，
再也没有笑闹的喧声飘过那里，
树林和岸边的灯火再也不灼灼地闪亮，
　　　一切死了，一切都沉寂。

　　　宽怀吧，俄罗斯的皇后城，
　　　且看那入侵者的灭亡。
今天，造物主的复仇的右手已加在
　　　他们的傲慢的颈项上。
看啊，敌人在逃窜，连回顾都不敢，
他们的血在雪上流个不停，有如涌泉；
逃啊，——却在暗夜里遇到饥饿和死亡，
　　　俄罗斯的剑从后面追赶。

　　　哦，你们终于被欧罗巴的
　　　强大的民族吓得战栗，

高卢的强盗！你们也竟跌入坟墓。

噢，恐怖的、惊人的时期！

你到哪里去了，别隆娜和幸运底宠儿？

你曾经蔑视法理、信仰和真理之声．

你傲慢地想用宝剑推翻所有的皇位，

却终于消失了，像清晨的噩梦！

俄国人进了巴黎！那复仇的

火把呢？低头吧，高卢！

可是我看见什么？俄国人和解地微笑，

以金色的橄榄作为礼物。

在遥远的地方，战争还在轰响，

莫斯科和北国的草原一样的阴沉，

但他带给敌人的，不是毁灭——是援救，

和使大地受益的和平。

啊，俄罗斯的灵感的歌手⑬，

你歌唱过浩荡的大军，

请在友人的围聚中，以一颗火热的心，

再弹起你的铿锵的金琴！

请再以你和谐的声音把英雄们弹唱，

你高贵的琴弦会在人心里拨出火焰；

年轻的战士听着你的战斗的歌颂，

他们的心就沸腾，抖颤。

注　释：

① 诗人在皇村中学读书时，由初级班转入高级班要经过考试，这一

篇诗作便是教师加利奇给的试题。考试原定在1814年10月，以后延期至1815年1月8日，当众朗诵自己的作品。有许多宾客前来旁听。普希金预先知道了宾客中有名诗人杰尔查文，便补写了最后两节（以后删去一节）。1819年编成文集时，作了一些修改，把歌颂俄皇亚历山大的地方，都删去了。本诗开始几节描写了皇村的实景。

② 敏诺娃，是司智慧、学问和战争的女神。这里指叶卡捷琳娜二世。沙皇经常来皇村休养憩息。

③ 在皇村湖的小岛上，有叶卡捷琳娜二世建立的一座纪念石柱．纪念名将奥尔洛夫于1770年在海上击败土耳其之役。

④ 这是另一个石柱，纪念十八世纪俄国名将鲁绵采夫在卡古尔河岸击败土耳其之役。

⑤ 这三人是叶卡捷琳娜二世时代的名将。

⑥ 宙斯，是希腊神话中的众神之王，司雷。

⑦ 华西里·彼得洛夫（1736—1799），俄国诗人。

⑧ 指拿破仑入侵俄国。

⑨ 别隆娜，是罗马神话中的战争女神。

⑩ 高卢，是法国古称。此处高卢人指拿破仑。

⑪ 指库图佐夫将军。他率领俄军和拿破仑会战于莫斯科以西的波罗金诺村，获得小胜，即撤至莫斯科。拿破仑驱军直抵莫斯科，终至全军覆没，逃出俄国。

⑫ 克里姆林，是莫斯科的内城。

⑬ 指杰尔查文。

编者注：喀萨琳大帝即俄国女皇叶卡捷琳娜二世。

［俄］列宾　普希金在皇村中学考场上朗诵自己的诗

给娜塔莎 1815

美丽的夏天谢了，谢了，
明媚的日子飞逝，无踪，
夜晚的阴霾的浓雾
悄悄铺展了沉睡的暗影；
啊，绿色的田野空旷了，
嬉笑的小河变为寒冷，
树林的枝桠苍老，发白，
天空也暗淡而且凄清。

哦，我的光明，我的娜塔莎！
你在哪儿？为什么看不见你？
可是你不要知心的朋友
和你分享孤独的情趣？
无论在湖水的清波上，
还是在馥郁的菩提树荫，
无论早晨，无论晚间，
我都看不到你的倩影。

很快的，很快的，冬寒来了，
树林和田野就要冰冻；

很快的，在烟雾的茅屋里，
炉火就要熊熊地烧红。
那时啊，我瞧不见意中人，
一如金雀守着小巢的家，
我将坐在屋里，郁郁的，
不断地想念着娜塔莎。

艾尔巴岛上的拿破仑[①] 1815

黄昏的彩霞片片烧尽在海上，
幽暗的艾尔巴岛笼罩着宁静，
穿过层层暗云，朦胧的月亮
　　　正静静地移行；
顶端泛白而披上夜影的天空
已经在西方和蔚蓝的海水交融。
在这夜雾里，在荒凉的山崖上
　　　拿破仑独自坐着。
这魔王的脑中涌聚着沉郁的思想，
他正盘算给欧洲制造新的枷锁，
并把沉郁的目光抛往遥远的海上，
　　　狠狠地低声说：

"在我四周，一切都死沉沉地入梦，
深渊的狂涛在夜雾中安歇了，
大海上不见一只脆弱的帆篷，
也没有饥饿的野兽在坟地狂叫，
我却独自在这儿，澎湃着思潮……

"啊，听命的波浪是否很快就能够
在桨下涌起泡沫，把我载了走？

这沉睡的海水几时能再起浪？……
夜啊，狂暴起来，在艾尔巴的山上！
月亮啊，望你更幽暗地遮在云后！

"在那边，无畏的大军正在等我。
他们已经集合，已经列队成形！
啊，世界已经在我脚前戴上枷锁！
我要越过黑色的深渊进军，
让凶猛的雷雨再一次轰鸣！

"战火燃起来吧，'胜利'手执着剑，
就要随着高卢②的鹰群而飞旋，
山谷中会有血的河流沸腾，
我要以巨胃把皇座劈为纤尘，
我要打碎欧罗巴的奇异的盾！……

"但在我四周，一切都死沉沉地入梦，
深渊的狂涛在夜雾中安歇了，
大海上不见一只脆弱的帆篷，
也没有饥饿的野兽在坟地狂叫.
我却独自在这儿，澎湃着思潮……

　"幸福啊，你恶毒地蛊惑人心，
连你也像是美梦，从我眼前隐去；
　你原是我在风暴中的护灵，
　从幼年时代就把我抚育！
　才有多久？从隐秘的小径
　你把我领到了一个皇座，

你又以狂妄的手把婚冕

加于我披戴桂花的前额！

才有多久？人民战栗着，

怯懦地把自由向我供奉，

让正义之旗向我致敬；

我的周身围以轰鸣的雷火，

荣誉以它的翅膀覆盖我，

永远跟在我的头上闪耀，……

但险恶的乌云悬在莫斯科的上空，

复仇的雷声轰响了！……

北国年轻的沙皇！你把民军开动，

从此'灭亡'就把血染的大旗追随；

巨人的覆没得到反应，

人间复归于和平，天空重又明媚，

而我呢，耻辱和囚禁！

我的钢盾被击碎了，

战场上的头盔不再闪烁；

宝剑已在谷田中被忘掉，

在雾中失去了光泽。

四周静悄悄。在这幽寂的夜里，

我徒然想念着死亡底怒号，

明晃的刀剑在挥击

和伤者痛楚的哀叫——

我倾耳听到的，只有泼溅的海涛；

沉寂了熟悉的叫喊声，

嗜血的敌意不再喧腾，

复仇的火把熄灭了。

可是，就来了那轰然爆发的一刻！

帆船就要飞驶，藏着可怕的皇座；

　　让幽暗浓浓地铺展，

　　而那苍白的'叛乱'

目中闪着死亡，就坐在船头。

战栗吧，高卢! 欧洲! 复仇啊，复仇!

你们的灾星升起来了，哭泣吧，

一切都要跌入尘土，一切覆亡。

那时候啊，在普遍的毁灭下。

　　我要在坟墓之上称王!"

他说完了。夜影还铺展在天上，

月亮离开了远天乌云的荫蔽，

战栗地，把微弱的光洒在西方；

东方的晨星还在海洋里嬉戏；

在艾尔巴险恶的巉岩包围里

　　一艘大船在雾中驰来，

　　哦，强盗，高卢荫护了你；

合法的君王都战栗地逃开。

但你可看见? 白日虽消逝，黑暗

　　只暂时蔽住了霞彩，

一片静谧铺展在灰色的海面，

天空暗下来，雷雨在幽暗中高悬，

一切沉默……战栗吧! 毁灭已临头顶，

　　你还不知自己的命运!

注　释：

　　① 拿破仑于1815年2月26日逃出艾尔巴岛，重返法国，尘战百日。这首诗是在听到拿破仑逃出后写成的。

　　② 高卢，法国的古称。

梦幻者① 1815

月亮悄悄地升上天空，
　　山冈的幽暗变为透明，
寂静飘落在湖水上，
　　山谷里吹拂着轻风；
在幽暗树林的僻静里
　　春天的歌手沉默了，
牛羊在田野里安歇，
　　午夜的翱翔这样静悄；

深夜以幽暗包围着
　　安适而宁静的一角，
残烛烧剩了烛心，
　　壁炉的微火也熄了；
在简陋的神龛里
　　排列着家神的影像，
在泥塑的宅神之前
　　一盏孤灯闪着幽光。

我把手支撑着头，
　　依靠在孤寂的榻上，

我深深地出了神，

　　沉湎于甜蜜的思想；

从魅人的夜的幽暗

　　一群群有翅的梦幻

在月亮的光辉下

　　飞出来，嬉戏地盘旋。

于是有低回的声音

　　在竖琴的金弦上振荡；

在寂静幽暗的一刻

　　梦幻的青年开始歌唱；

他充满秘密的哀愁，

　　和默默无言的灵感，

他以活泼的手指

　　急拨着振奋的琴弦。

幸福的是在陋室中

　　无须为幸福祈求，

宙斯作可靠的卫护

　　使他避开险恶的气候；

在慵懒而静谧的良宵，

　　他甜蜜地睡个不停，

军号的惊人的声响

　　并没有把他唤醒。

就让盾牌被冲击吧，

　　就让荣誉毫不赧颜

从远方以血腥的手

　　　向我汹汹地召唤，

就让军旗随风飘扬，

　　　人们激烈地血战，

我绝不，绝不去寻荣誉，

　　　只有静谧称我的心愿。

我找到了和煦的荫蔽，

　　　要在山野平淡地居住；

神给了我一只竖琴，

　　　诗人的珍贵的天赋；

而缪斯总是和我同在：

　　　忠实的女神，我赞美你！

我的小房子和荒野

　　　因为有了你而美丽。

在金色岁月的清晨

　　　你保护稚弱的歌者，

你以桃金娘的花冠

　　　遮盖着他的前额，

你闪着骄傲的光辉

　　　飞到简陋的斗室里，

俯视着小儿的摇篮

　　　轻轻地屏住呼吸。

哦，请随我直到墓门，

　　　年轻的同行的伴侣！

请带着梦幻朝我飞，

　　展开你轻飘的翅翼；

逐开阴霾的悲哀吧，

　　迷住我……尽管欺蒙

请指出浓雾后面的

　　生活的明媚的远景！

我的临终将是平静的；

　　死亡底和善的使者

将轻叩着门，低声说：

　　"去吧，到幽灵的住所！……"

有如冬夜甜蜜的梦

　　叩问着平静的门庭，

它头戴着罂粟花冠

　　扶着慵懒底手杖来临……

注　释：

　① 本诗采用了茹科夫斯基的《俄国军营中的歌手》一诗的形式，有
意在内容上和它形成对照，作为对该诗的一个答复。普希金表示自己是
一个温煦的梦幻者，无意追求战场上的荣誉。

我的墓铭 1815

这儿埋下了普希金；他一生快乐，
尽伴着年轻的缪斯，慵懒和爱神；
他没有做出好的事，不过老实说，
　　他从心眼里却是个好人。

玫 瑰① 1815

我们的玫瑰花儿

哪里去了，我的友人？

啊，玫瑰早萎谢了，

朝霞所发的红润。

不要说吧：青春

也就是这样凋落。

不要说吧：这就是

我们生命的欢乐！

请为我转告玫瑰：

别了，我怜惜你！

然后再给我指出

百合花的幽居。

注 释：

① 本诗按照古代的诗传统，以玫瑰象征爱情，以百合花象征坚贞。

"是的，我幸福过"① 1815

是的，我幸福过；是的，我享受过了；

我陶醉于平静的喜悦，激动的热情……

但飞速的欢乐的日子哪里去了？

如此匆匆消逝了梦景，

欢情的美色已经枯凋，

在我四周，又落下无聊底沉郁暗影！……

注　释:

① 诗人和 E.巴库妮娜相遇后，在日记上写下这首诗。

哀 歌 1816

谁敢于承认自己钟了情
而不惊惶，那是够幸福：
他面对不可知的命运，
怯懦的希望还把他爱抚；
朦胧的月光会引导他
到情意缠绵的午夜里来，
忠实的钥匙会悄悄地
把美人的门为他打开，

可是我，我凄凉的生活
却没有秘密欢情的慰安，
希望的早春的花朵枯了：
生命的花朵被痛苦灼干！
青春已经悒郁地飞逝，
我就要听到暮年的恫吓；
我啊，尽管已被爱情遗忘，
但愿能忘记情泪的苦涩！

歌 者 1816

你可曾听见树林里深夜的歌音,
一个歌者唱着他的忧郁,唱着爱情?
在拂晓时辰,当田野还静静睡眠,
有那芦笛的单纯而凄切的哀吟
　　　你可曾听见?

你可曾在树林的凄凉的幽暗里
看见一个歌者,歌唱爱情和忧郁?
他那沉默的目光充满了思念,
还有他那微笑,他那眼泪的痕迹
　　　你可曾看见?

你可曾叹息,当你注意地聆听
一个低沉的声音歌唱忧郁和爱情?
当你在树林里遇到那个青年
并且看见他那黯然无光的眼睛,
　　　你可曾轻叹?

祝饮之杯 **1816**

琥珀的酒杯
早已经斟满，
沸腾的气泡
在闪烁，迸溅。
遍观全世界，
它最称心愿，
可是要为谁
把这酒饮干？

为荣誉畅饮？
那不会是我，
战争的嬉戏
跟我不投合。
那一种消遣
不使人欢乐，
友谊的酩酊：
战鼓响不得。

天庭的子民，
菲伯的使徒，

歌者们，饮吧，
为诗神祝福！
嬉笑的缪斯
来抚爱——可叹！
灵感的泉流
水一般清淡。

为青春而饮，
为爱的欢乐——
可是，孩子们
青春就隐没……
琥珀的酒杯
早已经斟满，
我呀，感谢酒，
为酒而饮干。

给同学们① 1817

幽居的年代飞逝了；
和睦的朋友，我们再也
不会有许多日子看到
这幽居和皇村的田野。
别离就在眼前，人世的
遥远的喧声向我们招呼；
每人望着前面的道路，
不禁激动于骄傲的
青春的梦想。有的把头脑
藏在军帽下，穿上军衣，
已经挥舞着骠骑军刀——
在主显节期的检阅中，
被早晨的寒气冻得通红，
骑马巡哨又全身发烧；
有的生来该居显要，
不爱正直，而爱头衔，
要在著名骗子的外厅间
充当一名恭顺的骗徒；
只有我，听从命运的摆布，
把自己交给快乐的慵懒，

满心淡漠的，毫无所谓，

我在一边悄悄打瞌睡……

对于我，骑兵、文书都一样，

法律、军帽，也不计较，

我不拼命地想当队长，

八级文官，又有什么好；

朋友们，请稍稍宽容——

请让我戴着红色的尖帽[2]，

只要我不是罪孽深重

必须用钢盔把它换掉；

只要懒惰的人能够

不招来可怕的灾害，

我仍旧将以随意的手

在七月里把胸襟敞开[3]。

注 释：

    ① 本诗为诗人在皇村中学毕业前所作。

    ② 在古代，红色尖帽为被解放的奴隶所戴。法国大革命时，雅各宾党人以红帽为自由底象征。

    ③ 当时俄国军规，严禁军人在任何情形下敞开军服。

给屠格涅夫^① 1817

屠格涅夫啊，对牧师、阉教徒
和犹太人的忠实的保护者，
但对于蠢材和耶稣会徒
以及我的无所事事的懒惰，
你极为幸运的迫害人！
我一直悠游自在，无所挂心，
只亲昵着一串有益的梦。
请问：为什么你要笑我，
当我无力的手在琴上抖索，
却只把爱情的柔弱的歌声，
那对心灵最亲切的苦痛，
在不合调的弦上拨出？
我全心向生活的享乐归服，
因此就甜蜜地，甜蜜地睡眠。
只有你啊，把深心的慵懒
和工作的意愿相结合；
只有你才热烈地爱着
十字架和索罗米尔斯卡娅，

一会儿整夜和美人戏耍，

一会儿又替基督宣传，

处于欢乐和操劳之间，

你赴婚礼，赴圣公会礼堂，

整日为各种事务而奔忙：

你才离开鲁宁娜的舞会，

接着又把孤儿们抚慰；

啊，巴纳斯的可爱的懒汉，

你忘了自己爱情的忧烦，

既在"阿尔扎玛斯"微笑着瞌睡，

也在拉瓦尔伯爵家安眠；

只有你啊，一面肩负着

空虚或沉重的职务重担，

一面却还能找出时间

来笑我的无所事事的懒惰。

请别再叫我去从事那

我决心抛弃的工作吧，

我不想再受诗歌的禁锢，

也不想再花力气凑韵；

何必呢？既然我常犯错误，

而且唱得也不够动人？

还是让妮涅达一人以微笑

燃起和慰藉我的爱情吧！

写作既冰冷而且无聊；

一首长诗又怎能抵得那

美人唇边多情的一笑！

注 释：

　① 本诗是写给亚历山大·伊凡诺维奇·屠格涅夫(1784—1845)的，他有进步思想，和当代作家结识，并参加了"阿尔扎玛斯"文学会，普希金经常到他兄弟俩人的家，并经过他的帮助进入皇村中学。他是宗教事务局局长、圣经出版协会秘书和犹太人救济会委员，又曾草拟驱逐耶稣会会徒的法令。他在1817年10月写诗给维亚谢姆斯基说普希金"太爱玩"，应该叫他"安分一些"，亦即督促他努力写作。本诗即其答复。

给——① 1817

不要问：为什么我怀着忧思
往往在欢笑中闷闷不乐，
为什么我对一切都沉郁地观望，
就对生活的美梦也那样淡漠；

不要问：为什么我的心冷了，
为什么我不爱欢笑的爱情，
也不再把谁唤作"亲爱的"——
啊，爱过人的人已心如古井；

那尝过幸福的，再也没有幸福了，
幸福只是暂时地给了我们：
青春、恋情和欢乐转瞬逝去了，
留下的不过是悒郁的心……

注 释:

① 本诗是给诗人的同学和好友德里维格的。

自由颂① 1817

去吧，从我的眼前滚开，
柔弱的西色拉岛的皇后！
你在哪里？对帝王的惊雷，
啊，你骄傲的自由底歌手？
来吧，把我的桂冠扯去，
把娇弱无力的竖琴打破……
我要给世人歌唱自由，
我要打击皇位上的罪恶。

请给我指出那个辉煌的
高卢人②的高贵的足迹，
你使他唱出勇敢的赞歌，
面对光荣的苦难而不惧。
战栗吧！世间的专制暴君，
无常的命运暂时的宠幸！
而你们，匍匐着的奴隶，
听啊，振奋起来，觉醒！

唉，无论我向哪里望去——
到处是皮鞭，到处是铁掌，

对于法理的致命的侮辱，
奴隶软弱的泪水汪洋；
到处都是不义的权力
在偏见底浓密的幽暗中
登了位——靠奴役的天才，
和对光荣的害人的热情。

要想看到帝王的头上
没有人民的痛苦压积，
那只有当神圣的自由
和强大的法理结合一起；
只有当法理以坚强的盾
保护一切人，它的利剑
被忠实的公民的手紧握，
挥过平等的头上，毫无情面；

只有当正义的手把罪恶
从它的高位向下挥击，
这只手啊，它不肯为了贪婪
或者畏惧，而稍稍姑息。
当权者啊！是法理，不是上天
给了你们冠冕和皇位，
你们虽然高居于人民之上，
但该受永恒的法理支配。

啊，不幸，那是民族的不幸，
若是让法理不慎地瞌睡；

若是无论人民或帝王
能把法理玩弄于股掌内！
关于这，我要请你作证，
哦，显赫的过错的殉难者③，
在不久以前的风暴里，
你帝王的头为祖先而跌落。

在无言的后代的见证下④，
路易昂扬地升向死亡，
他把黜免了皇冠的头
垂放在背信底血腥刑台上；
法理沉默了——人们沉默了，
罪恶的斧头降落了……
于是，在戴枷锁的高卢人身上
覆下了恶徒的紫袍⑤。

我憎恨你和你的皇座，
专制的暴君和魔王！
我带着残忍的高兴看着
你的覆灭，你子孙的死亡。
人人会在你的额上
读到人民的诅咒的印记，
你是世上对神的责备，
自然的耻辱，人间的瘟疫。

当午夜的天空的星星
在幽暗的涅瓦河上闪烁，

而无忧的头被平和的梦
压得沉重，静静地睡着，
沉思的歌者却在凝视
一个暴君的荒芜的遗迹，
一个久已弃置的宫殿⑥
在雾色里狰狞地安息。

他还听见，在可怕的宫墙后，
克里奥⑦的令人心悸的宣判，
卡里古拉⑧的临终的一刻，
在他眼前清晰地呈现。
他还看见：披着肩绶和勋章，
一群诡秘的刽子手走过去，
被酒和恶意灌得醉醺醺，
满脸是骄横，心里是恐惧。

不忠的警卫沉默不语，
高悬的吊桥静静落下来，
在幽暗的夜里，两扇宫门
被收买的内奸悄悄打开……
噢，可耻！我们时代的暴行！
像野兽，欢跃着土耳其士兵⑨！……
不荣耀的一击降落了……
戴王冠的恶徒死于非命⑩。

接受这个教训吧，帝王们：
今天，无论是刑罚，是褒奖，

是血腥的囚牢，还是神坛，

全不能作你们真正的屏障；

请在法理可靠的荫蔽下

首先把你们的头低垂，

如是，人民的自由和安宁

才是皇座的永远的守卫。

注 释：

① 本诗在诗人生时以手抄本流行（全部发表在 1905 年）。沙皇政府得到它的抄本后，以此为主要罪名将诗人流放南方。本诗写作于 Н.И. 屠格涅夫兄弟的居室中，从这间屋子可以望见米海洛夫斯基王宫，暴君巴维尔一世于 1801 年 3 月被害于此。

② 一说指法国革命诗人雷勃伦（1729—1807），一说指安德列·谢尼埃（1762—1794），法国革命中牺牲的诗人。

③ 指法王路易十六。普希金认为他的受刑，乃是他的祖先所犯的过错的结果。

④ 这以下的六行指：革命者不合法理地处死了一个已被废黜的国王。法理沉默了，因而导致拿破仑的统治。

⑤ 诗人自称：指拿破仑的王袍。

⑥ 指米海洛夫斯基官，暴君巴维尔一世被杀于此。

⑦ 克里奥，古希腊神话中司历史和史诗的神。

⑧ 卡里古拉是公元一世纪的罗马皇帝，以残暴著称，为近臣所杀。

⑨ 东方君主常以土耳其人的步兵队作为自己的近卫军，这种军队在宫廷叛变中常常起着不小的作用。

⑩ 指巴维尔一世的被杀。

给梦幻者 1818

你在悲哀的恋情上找到了乐趣，
　　你喜欢热泪的迸流；
你以幻想的火焰白白折磨自己，
你爱在深心里怀着悄悄的哀愁。
但你不是在爱，怯生的梦幻者。
相信吧，如果爱之疯狂的热情
占有了你，啊，哀情的寻求者，
它的整个毒焰会在你血里奔腾，
你会在漫漫的长夜里不能成眠，
只躺在床上，心被相思割得寸断；
　　你虽想唤来骗人的平静，
　　却枉然闭着悲伤的眼睛，
你啜泣地拥裹着炙热的被单，
又以无益的欲火把眼泪烘干——
　　相信吧，那时你才不算
　　培养着毫无成果的梦幻！
对了，那时你会含泪跪在
　　你骄傲的恋人的脚前，
　　苍白的，颤抖而且发呆，
　　那时你会对着天呼喊：

"天啊，请蒙蔽住我的理性，

　　从我拿开这致命的情影，

　　我爱得够了，我需要静谧……"

但伤心的爱情和难忘的情影

　　却一生一世折磨着你。

致 H·Я·蒲留斯科娃[①] 1818

在质朴而高贵的竖琴上
我无意颂扬世间的神众，
以自由为骄傲，我也不想
用阿谀之香炉把权势供奉。
我只学习着将自由宣扬，
我的诗只能够献给自由；
我本性不惯于取悦帝王，
我的缪斯啊天生的害羞。
可是，我承认，在赫利孔山下，
在卡斯达里泉涌的地方[②]，
我受到了阿波罗的启发，
要把伊丽莎白悄悄歌唱[③]。
作为看见天庭的凡人，
怀着一颗燃烧的心灵，
我歌唱着皇位上的美德，
和那美德的和颜悦色。
是爱情，是秘密的自由，
引起我内心单纯的赞颂，
而我的不为利诱的歌喉
一直是俄国人民的回声。

注 释：

① H.Я.蒲留斯科娃(1780—1845)，是亚历山大一世的王后伊丽莎白·阿列克谢耶夫娜的宫女，文学界知名的人，她倡议歌颂伊丽莎白。

② 据希腊神话，阿波罗的有翅的马彼加斯在赫利孔山下踢出了一条灵惑之泉，即卡斯达里泉水。

③ 伊丽莎白·阿列克谢耶夫娜对亚历山大一世的政治不满，因此为进步社团所拥戴。有的秘密社团主张以伊丽莎白取代亚历山大。

童 话① 1818

——圣诞节之歌——

乌拉！快马加鞭回来了
俄罗斯的游荡的暴君②。
基督在悲痛地哭嚎，
接着是全目的人民。
圣母玛利亚忙着把基督恐吓：
　　"别哭啦，孩子，别哭啦，我主，
　　这是妖魔呀——俄国的君主！"
　　沙皇走进来，宣告说：

　　"听着，俄罗斯的臣属，
　　现在，全世界无人不知：
　　普、奥两军的双料制服③
　　我已经给自己缝制。
庆幸吧，子民：我饱满，肥胖，愉健，
　　报界到处唱我的赞歌，
　　我又吃，又喝，又允诺，
　　虽然不管能不能兑现。

再听我附带说一句

我将要做些什么改善：

我要把拉夫洛夫④免职，

把索兹⑤送到精神病院；

我要用法律代替高尔葛里⑥的统治，

我要给人以人的权利，

这完全是出于我的善意，

凭着我沙皇的仁慈。"

小孩子在床上听完了，

高兴得跳来跳去，

"妈妈，这是不是开玩笑？

难道竟是真的？真的？"

妈妈回答说："哦，睡吧，快闭眼吧，

这早该是安歇的时光；

唔，是啊，听听我们父皇

给你讲着多美丽的童话。"

注 释：

① 当时本诗以手抄稿流传。讽刺的对象是俄皇亚历山大一世。亚历山大在 1818 年 3 月 15 日波兰议会开幕时，作了一篇立宪演说，允诺将在俄国推行立宪政体。同年十月，又和奥地利皇帝及普鲁士国王发表宣言，声称要维护现存秩序。他于 12 月 22 日回到皇村，本诗约成于该时。

② 在拿破仑失败和反动的"神圣同盟"成立以后，亚历山大时常在国外活动。

③ 奥地利皇帝曾经尊称亚历山大为奥军和普军的统帅。

④ 拉夫洛夫是警察总署执行处处长。

⑤ 索兹是警察总署检查委员会俄罗斯部秘书。

⑥ 高尔葛里是彼得堡的警察总监。

致恰达耶夫^① 1818

爱情、希望、平静的荣誉
都曾骗过我们一阵痴情，
去了，去了，啊，青春的欢愉，
像梦，像朝雾似的无影无踪；
然而，我们还有一个意愿
在心里燃烧：专制的迫害
正笼罩着头顶，我们都在
迫切地倾听着祖国的呼唤。
我们不安地为希望所折磨，
切盼着神圣的自由的来临，
就像是一个年轻的恋人
等待他的真情约会的一刻。
朋友啊！趁我们为自由沸腾，
趁这颗正直的心还在蓬勃，
让我们倾注这整个心灵。
以它美丽的火焰献给祖国！
同志啊，相信吧：幸福的星
就要升起，放射迷人的光芒，
俄罗斯会从睡梦中跃起，

而在专制政体的废墟上

我们的名字将被人铭记！

注 释:

　① 本诗以手抄本流行，在十二月党人中起过鼓舞作用，是诗人最流行的作品之一。П.Я.恰达耶夫（1794—1856），普希金的好友和作家，1821 年以前任御前近卫军军官。1836 年发表《哲学书简》，被沙皇尼古拉送进精神病院。他是俄国十九世纪初叶有进步的哲学观点和政治思想的人中的代表人物。

乡 村[①] **1819**

祝福你，荒远僻野的一角，
　　闲适，工作和寄兴的所在，
是在这里，我的日子悄悄流去了，
　　沉湎于快乐和遗忘的襟怀。
我是你的，我已抛弃了豪华的宴饮，
虚妄的游乐，女人的声色的迷宫，
只为了田野的静谧，树林和谐的乐音，
为了自由的安闲，最宜于幻想的驰骋。

　　我是你的：我爱这一座花园
　　幽深，清凉，各样的野花开遍，
我爱这广阔的绿野，洋溢着禾堆的清香，
一些明澈的小溪在树丛里潺潺喧响。
无论放眼哪里，我都会看见生动的画面：
　　这里是两片湖水，平静无波，
在碧蓝的水上，偶尔闪过渔船的白帆，
湖后是起伏的丘陵，一条条庄田，
　　远处散布着稀疏的农舍。
在潮湿的湖岸，成群的牛羊正在游荡，
谷场冒着轻烟，半空旋转着磨坊的风车，

　　　　啊，到处是劳作和富裕的景象。

我住在这里，摆脱了世俗的束缚，
我学会了在真理中去探寻快乐，
我以自由的心灵崇拜自然的规律，
我不再聆听蒙昧的世人的窃窃私议，
我会以同情回答羞怯的心灵的倾诉，
　　　　而不再羡慕恶徒或者蠢驴，
尽管他们怎样以不义而飞扬跋扈。

古代的先知啊，是在这里我向你们请教！
　　　　在这里，我的居处庄严而僻静，
　　　　你们慰人的高曲更清晰而美妙，
　　　　它驱散了我悒郁而慵懒的梦，
　　　　它燃起了我的工作的热情，
　　　　啊，你们种种卓绝的思想
　　　　也正在我心灵的深处滋长。

然而，一个阴沉的思想却令人不宁。
　　　　在富庶的田野和丘陵间
谁关心人类命运能不悲悯地看见
到处是愚昧的令人疼心的情景。
　　　　这里有野蛮的地主
一不守法，二无感情，仿佛命中注定
　　　　他们该是人们的灾星，
　　　　对于眼泪和哀求一概不顾，
只顾用强制的鞭子把农民的财产、

劳力和时间，都逼到自己的掌握。
这里的奴隶听从无情的老爷的皮鞭，
伛偻在别人的犁上，被牵着绳索，
　　瘦弱不堪地苟延残喘。
这里，一切人毕生是负着重轭的马牛，
没有希望，谈不到一点心灵的追求，
　　这里，就是青春少女的娇艳
　　也只供无情的摧残。
父亲一代衰老了，就由下一代儿子
那可喜的梁柱和劳动能手来接替，
他们从祖先的茅屋不断地繁殖
成群的家仆，那些受折磨的奴隶。
噢，但愿我的歌能把人的心弦打动！
激情在我胸中燃烧，但又有何益？
为什么上天不给我滔滔雄辩的才能？
噢，我的朋友！是否有一天，我会看见
沙皇点点头，使人民不再受奴役？
　　我能否在我们的国土上看见
开明和自由的美丽曙光终于升起？

注　释:

①　本诗在米海洛夫斯克村中写成。诗人在这首诗里表现了必须取消农奴制的信心。亚历山大一世听到这首诗以手抄本流行后，便令瓦西里契科夫公爵为他取到这首诗。公爵的秘书是普希金的友人恰达耶夫，普希金便通过他将这首诗转交沙皇。这时期亚历山大正在高谈改革，还没有理由从本诗中寻找借口来处罚诗人，因此便答以"谢谢普希金，为了他在这诗中表达的善良的感情"。

女水妖① 1819

不久以前，有一个僧人
修行在湖畔幽深的林中，
他严峻地刻苦自身：
总在斋戒、祈祷和劳动。
老僧人已经用铲子
给自己掘了一个坟墓，
只是为了热望的死
他不断地祷告着圣徒。

有一次，在夏日的黄昏，
隐士在低陋的茅屋前
默默向着上帝祈祷。
树林逐渐变得幽暗，
湖上的雾气飞腾弥漫，
白云间红晕的月亮
正静静地游过天空。
老僧开始向湖水观望。
他望着，不由得心惊；
自己也不知什么原故……
他看见：波涛在翻腾，

以后又突然平复如初……
蓦地……有如夜影的轻飘，
又白得像初雪落在山冈，
一个赤裸的女人跃出水，
默默无言地坐在岸上。

她一面望着老僧人，
一面梳理潮湿的头发。
神圣的老僧吓得发抖，
又目不转睛地望她，
美女向他招了招手，
又把头对他频频点着……
突然——像飞逝的流星，
她躲进了如梦的水波。

郁郁的老人整夜失眠，
次日一天也不再祈祷——
那奇异的少女的身影
不自主地在脑中缭绕。
树林又披上了夜幕，
月亮又在云中移行，
少女又坐在湖岸上了，
那么苍白，魅人心灵。

她凝视着他，不断点头，
顽皮地远远飞吻老僧，
又拨弄和泼溅着水浪，

大哭，大笑，像个儿童；
她柔情地对他呻吟，召唤：
"僧人，僧人！来呀，来这里！……"
又突然没入明亮的水波，
一切归于深沉的静寂。

第三天，热情的出家人
坐在妖魔作祟的岸边
一直等待美丽的少女。
夜影已经横陈在林间……
曙光又驱走夜的幽暗：
啊，但老僧却不见了，
从湖边，儿童们只看见
一绺白须在水上漂。

注　释：

　①　本诗最初被审查官禁止发表，以后发表了，又引起宗教界的不满。

给托尔斯泰的四行诗节^① 1819

早熟的哲人啊，你规避
宴饮和生活的享乐，
望着青春的嬉戏，你报以
谴责的冰冷的沉默。

把社交场的娱乐撇开，
你只守着沉闷和忧伤，
你以格拉茜的金盏换来
艾庇克蒂塔特^②的灯光。

相信我吧，朋友，就将来到
那凄凉而悔恨的一天：
冷酷的真理将把你烦扰，
无益的思绪缭绕心间。

宙斯娇惯着人的堕落，
使各种年龄都有玩具，
在白发上，可不会响着
哗啷棒的疯闹的把戏。

唉，青春一去不再回返！

爱情不听呼唤，将展翅而飞，

尽你呼唤那甜蜜的悠闲，

尽你呼唤那飞逝的沉醉！

啜饮欢乐到最后一滴吧，

潇洒地活着，不要动感情！

顺随生命的瞬息过程吧，

在年轻的时候，你该年轻！

注 释：

① 雅珂夫·托尔斯泰(1791—1867)，普希金在"绿灯社"结识的友人，他是该社的主持人之一，又是"幸福同盟"盟员。这首诗是对他的一首诗的答复。

② 艾庇克蒂塔特，古希腊禁欲主义哲学家。

"一切是幻影" 1819

一切是幻影、虚妄，
一切是污秽和垃圾；
只有酒杯和美色——
这才是生活的乐趣。

爱情和美酒，
我们同样需求；
若没有它们，人
一生都打欠伸。

我得再添上疏懒，
疏懒和它们一道；
我向它颂扬爱情，
它给我把酒倾倒。

"我性喜战斗" 1820

我性喜战斗——我爱刀剑的振鸣，
从幼小时，我就向往战场的美名。
我爱战争的流血的嬉戏，而死亡
我是不怕的；我亲昵着死底冥想。
在花一般的年龄，谁要是为自由
作忠实的战士，而不预见死在前头，
那么，他就没有尝到充分的欢欣，
他也不值得美丽的女人的爱吻。

给卡拉乔治的女儿① 1820

是月下的雷鸣②，为自由而战，
　啊，你神奇的父亲曾沾满
庄严的血：是罪人，但也是英雄，
是人间的灾星，也该享有光荣。

　他曾以血腥的手，把你，
一个幼儿，拥抱在自己火热的胸膛；
　他那匕首作过你的玩具，
　由于杀戮弟兄而磨光……
啊，多少次他沉默，对着你的摇篮
心中却燃起凶残的复仇的火焰；
他一面转念新的杀戮和袭击，
一面听着你的儿语，也稍感欢乐……
他就是这样的：一生可怕而沉郁。
但是你，姑娘啊，你却以虔诚的生活
将父亲狂暴的一生对上天抵偿：
　从可怕的坟墓，向天庭
　你的一生像一炉香，
像爱情的纯洁的祈祷，冉冉上升。

注　释：

① 卡拉乔治，意即"黑心的"乔治，塞尔比亚的领袖，以性暴著称。

他因为父亲不肯参加反土耳其的斗争而弑父，又在愤怒中绞死兄弟。普希金未见到他的女儿（当时乔治一家住在吉辛辽夫附近的霍金）。

　　② 月亮旗是土耳其的旗帜。乔治反抗土耳其的压迫，故称"月下的雷鸣"。

黑色的披肩 1820

呆痴地，我望着黑色的披肩，
悲哀啮咬着我冰冷的心坎。

从前，我年轻，有一颗轻信的心，
我热爱一个妙龄的希腊女人。

这迷人的少女对我异常恩爱，
然而，黑色的日子很快地到来。

有一次，我正聚会欢笑的宾客，
一个可憎的犹太人跑来找我；

"你和朋友（他低语）还在这里宴饮，
你的希腊姑娘可对你变了心。"

我诅咒他，给了他一些黄金，
而且呼唤来我忠实的仆人。

我们出来；我骑着快马驰奔，
温情和怜惜都默默地消隐。

我还没看到希腊少女的门槛，
眼前便已发黑，全身软瘫……

我独自闯进了她幽深的闺房……
那阿尔米亚人正吻着希腊女郎。

我一阵晕眩；刀当啷一击……
那恶棍要中断接吻也来不及。

我久久地践踏着无头的死尸，
并且对苍白的少女默默凝视。

我记得那哀求……那血往外涌……
从此死了少女，也消失了爱情！

我从她头上取下了黑色的披肩，
我无言地用它拭干血染的剑。

我的奴仆在夜色昏黑的时候，
把两具尸身投进多瑙河的急流。

从那时起，我没吻过迷人的眼睛，
从那时起，我没尝过夜晚的欢情。

呆痴地，我望着黑色的披肩，
悲哀啮咬着我冰冷的心坎。

缪 斯① 1821

我幼小的时候，很讨她的欢喜，
她给了我一支七支管的芦笛。
她微笑地听着我吹奏——轻轻地
按着笛管的抑扬顿挫的洞隙，
我已经会用我的柔弱的手指
奏出为神启示的庄严的赞诗
和扶里吉亚②的牧人安详的歌曲。
从清晨到黄昏，在橡树的阴影里，
我殷殷聆听这隐秘女神的教益，
而且，为了偶一奖励，使我欢喜，
她也有时候从她妩媚的额际
撩开鬈发，把芦笛从我手里接去。
那时啊，笛管就充满了神的呼吸
发出圣洁的声音，使心灵沉迷。

注 释：

① 希腊神话中有九个缪斯，是掌管诗歌、艺术、历史、科学等不同部门的女神。这里缪斯是指诗神。

② 扶里吉亚是小亚细亚中部的古称。

战 争[①] 1821

啊，战争！终于升起了旗帜，
光荣之战的旗帜呼啦啦飘扬！
我将看见血，我将看见复仇的节日，
致命的子弹在我四周嗖嗖地响。

有多少强烈的印象
等待我渴望的心灵！
那狂暴的义勇队的攻击，
军营的警号，刀剑的振鸣，
还有杀气腾腾的战火里
将领和部卒的壮烈牺牲！
啊，这许多高歌的主题
会把我沉睡的诗灵唤醒，——
一切对我将是新鲜的：简陋的帐篷，
敌人的营火，他们异邦口音的呼喊，
黄昏的战鼓，炮弹的嚎叫，炮声的轰隆，
还有可怕的死的预感。
啊，那杀人的渴望，英雄的残暴的烈火，
对荣誉的盲目热情：是否会附上我？
是否那双重的花冠将落在我的份上，
或是战神给我判定了幽暗的收场？

那么，一切将随我死去：青春的希望，

诗思的枉然的激动，心灵的神圣火焰，

崇高的追求，对兄弟和友人的怀念，

还有你，你，爱情！……唉，难道战争的喧嚷，

战斗的辛劳，骄傲的荣誉的絮语，

全不能淹没那经常烦扰我的思想？

　　啊，我中了恶毒，顿觉无力：

平静离开了我，我对自己失去了控制；

　　沉重的慵懒闷住我的心胸……

那战争的恐怖为什么这样姗姗来迟？

为什么还没有火热的初次交锋？

注 释:

　　① 希腊人民反抗土耳其的战争爆发后，传说俄国将声援希腊参战，
本诗因此而作。

给卡杰宁 1821

是谁送给我的这张丽影，
这美人的令人迷醉的玉容①？
我一向热烈地崇拜才能，
也曾经写诗来把她歌颂。
但是，当我看见只她一个
在香烟缭绕中受到供奉，
便不快地（也许有些偏颇）
以嘘声压倒了一片赞颂。
如今，不平的瞬息已过，
竖琴的杂音只是一刹那，
对着西丽门娜和玛伊娜②，
我的朋友，它只有认错。
众神啊！就这样，凡人有时候
以鲁莽的心把你们冒犯；
但很快地，他又颤抖着手
把新的祭礼向你们呈献。

注 释：

① 指科洛索娃的肖像。
② 西丽门娜和玛伊娜分别为莫里哀喜剧《厌世者》和奥泽洛夫悲剧
《芬加尔》中的人物，这两个角色都是科洛索娃扮演过的。

给恰达耶夫① 1821

在这儿，我忘了以往岁月的忧虑，
奥维德的凄凉骨灰是我的邻居；
荣誉已经很少引起我的注意，
我疲倦的心灵是多么怀念你！
本来讨厌拘谨的礼节和枷锁，
那酬应的宴饮我并不难摆脱：
座客虽高谈阔论，心却在沉睡，
焦灼的真理被礼貌的寒冷所包围。
虽然离开了那群放荡的年轻人，
在流放中，我并不为此感到伤心；
而且还舒口气，把其他的迷妄——
我的敌人们——都投给诅咒和遗忘，
于是打毁了我曾想挣脱的牢笼，
我的心尝到了未曾有的平静。
在孤寂里，我的任性不羁的诗灵
体验到平静的劳作，幻想的奔腾。
日子由我支配，心智熟悉了秩序，
我学会了专心于长时间的思绪。
在自由底怀抱中，我想要补偿
那些虚掷的年月，少年的荒唐，

并且在启蒙方面和时代并肩。
缪斯，和平底女神，又对我呈现，
对我自主的悠暇笑盈盈勉励；
我的嘴唇又吻着被弃的芦笛。
这昔日的声音使我欢乐，我重新
歌唱着我的幻想，自然和爱情，
忠诚的友谊，以及在生命之初
使我沉迷的一些美好的事物；
啊，在那些时日，我不为人所知，
也不懂得忧患、理想、各种体制，
我的歌发自慵懒与欢娱底幽居。
它激荡在皇村庇护的庭荫里。

可是我没有友情。我满怀凄凉
望着陌生的碧空，温暖的南方；
无论缪斯、劳作或悠闲的欢欣——
任什么也不能抵过唯一的友人。
你曾是我的精神力量的良医，
哦，始终如一的朋友，我献给你
短短的一生——命运已把它考验，
和感情——也许是被你所救援！
我这颗心啊，在初开放的年华
你就已熟识；以后又看到了它
怎样在热情的折磨里暗暗凋残；
在危殆的一刻，面临秘密的深渊，
疲惫的我曾得到你不懈的支撑，
你给你的朋友带来希望和平静；

你严刻的目光深察到我的内心，
你以忠告或谴责给了它生命；
你的火焰燃起了我崇高的追求，
我的心里又滋生了坚毅的忍受；
诽谤的流言已经不使我伤心，
我知道怎样去蔑视，怎样去憎恨。
啊，我何苦要庄严地去审判
显赫的奴才和星夜下的愚顽？
或审判那个哲学家②——他在过去
曾以他的腐败使五湖四海惊奇，
虽然现在有所感化，想要遮羞，
便禁绝了酒，成为牌桌上的小偷？
那鲁式尼基的演说家③，无人知晓，
他无害的狂吠也不再使我烦恼。
难道我要为小丑和蠢材的议论，
为夫人和酷评家的喋喋而气愤？
或者去剖解诽谤底胡闹的心机，
当我很可以骄傲于你的友谊？
谢谢天，我已走完了阴暗的路程，
早年的忧伤窒息过我的心胸，
习惯于忧伤，我和命运已经结算，
我将以坚忍的心灵把生活承担。

只有一个愿望了：请和我留在一起！
我再也没有别的恳求烦扰上帝。
啊，我的朋友，难道我们很快就分离？
几时我们能再交织双手和情意？

几时我再听到你当面的热情寒暄？……

我将要怎样拥抱你啊！我将看见

你的书房：从那儿，你，永远的思想家

和偶尔的梦幻者，把浮世冷眼观察。

我一定，一定去看你，我蛰居的友人，

我们将在一起重温往日的谈论，

那年轻人的晚会，预示未来的争辩

和熟悉的先哲们的生动的言谈；

我们将再争吵、詈骂、判断、阅读，

并且为热爱自由的希望所鼓舞；

我将很快乐；只不过，恳求老天，

务必将谢平④赶出我们的门槛。

注 释：

① П.Я.恰达耶夫(1794—1856)，俄国十九世纪初叶进步的哲学和政治思想的代表人物。(参见 1818 年《致恰达耶夫》一诗)

② 指 Ф.И.托尔斯泰伯爵，普希金在 1820 年的《警句》一诗中曾讽刺过他。他是个浪子、赌徒、骗子和好决斗的人。曾环游世界，在美洲时因犯法而被禁闭。普希金认为他传播了关于他被放逐南方以前在警察局中被鞭打的谣言。诗人在盛怒之下，想以自杀或刺杀亚历山大一世来洗刷耻辱。恰达耶夫对此曾加以劝阻，因此有"在危殆的一刻，面临秘密的深渊"等语。

③ 指 М.Т.卡钦诺夫斯基教授(1775—1842)，《欧罗巴导报》的主编，他的文章曾使用"鲁式尼基老人"自署 (鲁式尼基是莫斯科的地区名)。他的《导报》上发表了对《鲁斯兰和柳密拉》的否定性的酷评，引起普希金的不满。

④ 谢平，普希金所讨厌的一个人，彼得堡的军官。

"我就要沉默了" 1821

我就要沉默了！然而，假如这琴弦
能在我忧伤时报我以低回的歌声；
假如有默默聆听我的男女青年
曾感叹于我的爱情的长期苦痛；
假如你自己，在深深的感动之余，
能将我悲哀的诗句悄悄地低吟，
并且喜爱我心灵的热情的言语……
假如你是爱着我……哦，亲爱的友人，
请允许我以痴情怨女的圣洁之名
使这竖琴的临终一曲充满柔情！……
于是，等死亡的梦覆盖着我永眠，
你就可以在我的墓瓮前，感伤地说：
"我爱过他，是我给了他以灵感，
使他有了最后的爱情，最后的歌。"

致奥维德① 1821

奥维德，我住在这平静的海岸附近，
是在这儿，你将流放的祖先的神
带来安置，并且留下了自己的灰烬。
你凄切的哭泣使这个地方扬名，
那竖琴的柔情的声音还没有沉默，
直到现在，这国度还充满你的传说。
你给我的脑海里深深地印下了
诗人的幽禁的生活，黯淡的荒郊，
云雾遮蔽的天空，经常的风雪，
以及短暂的阳光所温煦的绿野。
常常地，迷于你忧郁的琴弦的弹唱，
奥维德啊，你多么使我一心向往！
我似乎看到巨浪嬉弄你的大船，
终于，铁锚抛上了荒凉的河岸，
那没树阴的田野，没葡萄的山丘，
残酷的报酬在等待爱情的歌手；
在那雪地里，为战争的残酷而生，
是寒冷的斯基福②的强悍的子孙，
他们在伊斯特③外潜伏，等待虏夺，
随时都可能袭击和烧毁这些村落。

没有什么能拦阻：他们浮过波浪，

或者毫不战栗地走在裂响的冰上。

而你（怎能对变幻的命运不惊叹！）

你，从小就蔑视军中生活的动乱，

惯于以玫瑰花冠覆盖自己的头，

在安乐之中让无忧的时光流走；

但如今，你将必须戴上沉重的钢盔，

在惊惧的琴旁，用恶狠狠的剑守卫。

无论忠实的朋友的团聚，女儿、妻子，

或是往日的轻佻的女友——缪斯，

都不能安慰被逐的诗人的伤感。

优美女神给你的诗加了冕：枉然，

青年男女也白白把它们传诵；

无论是岁月、怨诉、忧伤、名声

或怯懦的歌，都不能感动奥克达维；

你的晚年只有在漠然遗忘中枯萎。

啊，金色的意大利的豪华的公民，

在野蛮的异邦，你孤独，默默无闻，

你的身边也听不到祖国的声调，

你满怀悲哀对远方的友人写道：

"哦，让我回到祖先居住的圣城，

回到世袭的庭园中平静的阴影，

朋友啊，请代我向奥古斯达恳求，

请用你们的泪拉回他惩罚的手；

但如果愤怒的大神还不肯罢休，

而我终生不得见你，伟大的罗马——

那就最后恳求他减轻我的厄运，

让我的坟和美丽的意大利接近！"
谁的心能这么冷，这样无视优美，
对你的忧伤和眼泪还加以责备？
谁读完这些哀歌，你最终的作品，
能对你留给后世的徒然的悲吟，
还保持粗鲁的傲慢，不感到心悲？

本是严峻的斯拉夫人，我没有流泪，
但我了解你的歌；作为任性的流放者，
对什么都不满意：世界、自己和生活，
如今，我怀着沉郁的心来到这里，
这你曾经度尽凄凉一生的地域。
在这儿，你活跃了我脑中的幻想，
奥维德啊，我默诵着你的歌唱，
并想以那凄凉的图画向四周印证：
可是，观察却和骗人的玄想不同。
你的流放秘密地迷住我的眼睛，
使它想看到北国的凄凉的雪景。
但这儿，天空的蔚蓝久久地明亮，
这儿，冬季风暴的残酷统治不长。
另一些人移居到斯基福的沿岸，
而葡萄，南国之子，紫红得光灿灿。
在俄罗斯的草原，阴霾的十二月
早已给大地铺上厚厚的松软的雪，
冬在那儿呼啸——可是这里却春暖，
明亮的太阳正在我头上滚转；
草原刚一片枯黄，又间杂以新绿，

铁犁早早地已在耕耘自由的田地；
微风难得吹，只在近黄昏有一丝寒，
透明的一层冰正在湖上变暗，
也难得给小溪的流水盖上晶体。
这时候，我记起了你胆怯的经历，
有一天，你翱翔的诗灵这样报道，
你第一次迷惘地以自己的脚
去试探那被冬寒箍紧的波浪……
在我面前，仿佛那新结的冰上
掠过了你的幽灵，而怨诉的声音
自远方传来，像是别离的郁郁哀吟。

请你宽怀吧；奥维德的花冠常青！
唉，在那一群湮没无闻的歌者中，
我的名字将为世世代代所忘怀。
而作为幽暗的牺牲，我薄弱的天才
将随我的虚名和抑郁一生而逝去……
可是，假如我的后裔还把我铭记，
迢迢来到这国度，在靠近名人灰烬
埋葬的地方，寻找我孤凄的遗痕，——
那么，我的幽灵会对此怀着感激，
挣脱那寂灭之岸的寒冷的荫蔽，
而飞向他，我将欣喜于他的追念。
但愿我能给后世留下这传言：
你我一样，为乖戾的命运所困扰，
虽然诗名不等，在遭遇上却是同道。
在这儿，我的琴声溢于北国的荒原，

我飘泊的时日,正当在多瑙河岸

心灵伟大的希腊人把自由唤出;

可是,却没有一个友人听我倾诉,

除了陌生的山冈,田野,沉睡的树林,

还有和煦的缪斯对我有所共鸣。

注　释:

① 奥维德(公元前43—公元18),罗马诗人,由于他的作品《爱底艺术》和其他涉及宫廷的流言,被罗马皇帝奥古斯达·奥克达维流放到多瑙河口的古斯吞吉,并死于该地。普希金的这首诗有自传性质,以奥维德的流放自比,并表示不愿向皇帝求情。它还承袭了史家的错误推测,认为奥维德流放在比萨拉比亚。普希金很重视这首诗,在给弟弟的信中,他说:"《致奥维德》是怎样的诗啊——我的天,《鲁斯兰》也好,《俘虏》也好,《圣诞节之歌》也好,一切和它相比都算不了什么。"本诗初发表时,最后六行被检查者删去。

② 斯基福,古希腊人对黑海以北地方的称呼。

③ 伊斯特,即多瑙河。

给一个希腊女郎① 1822

你怎能不点燃诗人的梦幻，
当你以奇异的东方语言
发出殷勤的活泼的招呼，
又以晶亮的眼睛的闪烁
和这轻佻的撩人的玉足，
使他的心烦乱，为你俘获……
你为了缱绻的柔情而生，
为了激情的狂欢来到世上。
当雷拉的歌者②，以天庭的梦，
描绘了自己永恒的理想，
请问：那折磨人的可爱诗人，
难道他不是在把你描画？
也许，那饱含灵感的受苦人
是在神圣的希腊天空下，
在那远方获知你，像在梦中，
于是在他的心灵的深处
珍藏了你的难忘的形影？
也许是，那魔法师以幻术
在美妙的琴上将你引诱，
你骄矜的心不由得颤抖，

于是你偎倚在他的肩上？……

不，不，我的朋友，我不想

煽动嫉妒的玄想的火焰，

我和幸福已长久地疏远；

而当我再次把幸福品尝，

不禁暗暗为忧思所苦恼，

我担心：凡可爱的都不可靠。

注 释：

① 希腊女郎指卡里普索·波丽赫隆尼，她刚自君士坦丁堡来吉辛辽夫居住。普希金致函维亚谢姆斯基说，她"曾和拜伦吻过"。

② 指英国诗人拜伦。雷拉是他的长诗《加吾尔》中的女主人公。

囚 徒 1822

我坐在阴湿牢狱的铁栏后。
一只在禁锢中成长的鹰雏
和我郁郁地做伴；它扑着翅膀，
在铁窗下啄食着血腥的食物。

它啄食着，丢弃着，又望望窗外，
像是和我感到同样的烦恼。
它用眼神和叫声向我招呼，
像要说："我们飞去吧，是时候了，

"我们原是自由的鸟儿，飞去吧——
飞到那乌云后面明媚的山峦，
飞到那里，到那蓝色的海角，
只有风在欢舞……还有我做伴！……"

夜 1823

为了你，我的歌声悒郁而且缠绵，
它激荡在这幽深而寂静的夜晚。
在我床前，一支蜡烛凄清地烧着，
我的诗句淙淙地流出和汇合：
啊，爱情的溪泉，它充满你的形象；
在黑暗中，你的眼睛对我闪亮，
你在对我微笑——而且我听见了声声低语：
我的朋友，我的爱……我是你的，我爱你！

"大海的勇敢的舟子"① 1823

大海的勇敢的舟子，我多么羡慕你
生活在帆影下，在风涛里直到年老！
已经花白了头，是否你早已寻到
平静的港湾，享受一刻安恬的慰藉？
然而，那诱人的波浪又把你喊叫！
伸过手来吧：我们心里有同样的渴望。
让我们离开这颓旧的欧罗巴的海岸
去漫游于遥远的天空，遥远的地方。
我在地面住厌了，渴求另一种自然，
让我跨进你的领域吧，自由的海洋！

注　释：

　　① 这首诗反映了普希金流放期间的苦闷心情，他想逃往海外，离开
"颓旧的欧罗巴"。

"狡狯的魔鬼" 1823

有那么一个狡狯的魔鬼
扰乱了我安适的愚昧，
它把我的生存永远霸占，
和它自己的捏合到一起。
我开始用它的眼睛观看，
生命对于我一无可取；
我的心灵所发的声音
和他不明爽的话共鸣。
我清醒地阅世而诧异，
难道以前，这世界对于我
竟显得如此伟大和美丽？
说吧，年轻的梦想者，
你在寻找什么？追求什么？
你能够热烈地崇拜谁
而不感到内心的惭愧？
于是我观察所有的人，
只见他们卑鄙而又傲慢，
永远近乎邪恶的愚蠢，
一群残酷而浮躁的法官。
他们忙忙碌碌，冷酷无情，

而又胆怯；就在这群人前，

那高贵的真理的声音

变为可笑，古昔的史实枉然。

但你们是对的，聪明的人民，

自由的呼声有什么必要？

牲畜不需要自由底礼品；

它们该被屠宰，或者被剪毛。

它们代代所承继的遗产

是带响铃的重轭和皮鞭。

给 M.A.葛利金娜郡主[①] 1823

很久以来，对她的忆念
深深珍藏在我的心坎，
她在一刹那间的垂青
成了我的长久的慰安。
我默念着我的那诗篇，
那被她倾慕的悒郁之音，
她这样亲切地沉吟一遍，
定是感染了她的心灵。
如今，她又同情地听到
这眼泪与隐痛底竖琴——
并且，她向它传送了
自己的迷人的声音……
够了！在骄傲的心情下
我将要感念地想到：
我的诗名该归功于她——
甚至我的灵感的浪潮。

注 释：

① M.A.葛利金娜是苏瓦洛夫的孙女，著名的音乐爱好者。普希金
感念她把他的诗歌唱了出来。

生命的驿车 1823

有时候，虽然它载着重担，
驿车却一路轻快地驰过；
那莽撞的车夫，发的"时间"，
赶着车子，从没有溜下车座。

我们从清晨就坐在车里，
都高兴让速度冲昏了头，
因为我们蔑视懒散和安逸，
我们不断地喊着：快走！……

但在日午，那豪气已经跌落；
车子开始颠簸；我们越来越怕
走过陡坡或深深的沟壑，
我们叫道：慢一点吧，傻瓜！

驿车疾驰得和以前一样，
临近黄昏，我们才渐渐习惯，
我们瞌睡着来到歇夜的地方——
而"时间"继续把马赶向前面。

"我们的心是多么顽固"

我们的心是多么顽固！
……不久以前
我又为爱情感到痛苦，
求你把我的恋情骗一骗，
使虚假的温柔与同情
流入你那美妙的顾盼，
好耍弄一下我俯顺的心，
给它灌注毒汁和火焰。
啊，你同意了，便以柔情
润泽了你倦慵的眼睛；
你的面容庄重而悒郁，
你那荡入神魂的谈心
时而温柔地撤去藩篱，
时而又对我加以严禁，
这一切不可避免地
在我心深处留下了印记。

"你负着什么使命" [1] **1824**

你负着什么使命，谁派你到世上？
善或恶，你是那个忠诚的使者？
　　　为什么熄灭了，为什么辉煌，
　　　你这奇异的人间的来客？

学究在推测，帝王忧心忡忡，
　　　群众在他们面前骚动，
被戳穿信仰的神坛荒凉了，
　　　自由底风暴在汹涌。

它突然袭来……人们流血，死亡，
　　　古老的训示一扫而光；
命运之主来了，奴隶们又屏息，
　　　剑和枷锁开始鸣响。

　　　荒淫显现得骄傲而赤裸，
　　　面对着它，心灵都已变冷，
　　　人们为权势忘了祖国，
　　　弟兄为黄金出卖了弟兄。
　　　狂人宣示道：没有自由，

人们信以为真地忍受。

在他们的语言里，混淆了

善和恶，一切都成了幻影——

啊，一切都扬弃给轻蔑，

有如风卷谷中的灰尘。

注 释：

① 本诗描绘了拿破仑的历史命运。

致大海 1824

再见吧，自由的元素！
最后一次了，在我眼前
你的蓝色的浪头翻滚起伏，
你的骄傲的美闪烁壮观。

仿佛友人的忧郁的絮语，
仿佛他别离一刻的招呼，
最后一次了，我听着你的
喧声呼唤，你的沉郁的吐诉。

我全心渴望的国度呀，大海！
多么常常的，在你的岸上
我静静地，迷惘地徘徊，
苦思着我那珍爱的愿望①。

啊，我多么爱听你的回声，
那喑哑的声音，那深渊之歌，
我爱听你黄昏时分的幽静，
和你任性的脾气的发作！

渔人的渺小的帆凭着
你的喜怒无常的保护
在两齿之间大胆地滑过，
但你若汹涌起来，无法克服，
成群的渔船就会覆没。

直到现在，我还不能离开
这令我厌烦的凝固的石岸，
我还没有热烈地拥抱你，大海！
也没有让我的诗情的波澜
随着你的山脊跑开！

你在期待，呼唤……我却被缚住，
我的心徒然想要挣脱开，
是更强烈的感情把我迷住，
于是我在岸边留下来……

有什么可顾惜的？而今哪里
能使我奔上坦荡的途径？
在你的荒凉中，只有一件东西
也许还激动我的心灵。

一面峭壁，一个光荣的坟墓……
那里，种种伟大的回忆
已在寒冷的梦里沉没，
啊，是拿破仑熄灭在那里②。

他已经在苦恼里长眠。
紧随着他，另一个天才
像风暴之声驰过我们面前，
啊，我们心灵的另一个主宰③。

他去了，使自由在悲泣中！
他把自己的桂冠留给世上。
喧腾吧，为险恶的天时而汹涌，
噢，大海！他曾经为你歌唱。

他是由你的精气塑成的，
海啊，他是你的形象的反映；
他像你似的深沉、有力、阴郁，
他也倔强得和你一样。

世界空虚了……哦，海洋，
现在你还能把我带到哪里？
到处，人们的命运都是一样：
哪里有幸福，必有教育
或暴君看守得非常严密。

再见吧，大海！你壮观的美色
将永远不会被我遗忘；
我将久久地，久久地听着
你在黄昏时分的轰响。

心里充满了你，我将要把

你的山岩，你的海湾，

你的光和影，你的浪花的喋喋，

带到森林，带到寂静的荒原。

注 释:

① 诗人一度想从敖德萨偷渡出海，逃避流放，但未成功。

② 拿破仑于 1821 年死于圣·海伦那岛的囚居中。

③ 指英国诗人拜伦。拜伦在 1821 年参加希腊革命时死去。

［俄］列宾和艾瓦佐夫斯基　《别了，自由的大海！》

"噢，玫瑰姑娘" 1824

噢，玫瑰姑娘，我受到了幽禁，
但别为你给的枷锁感到愧羞：
同样地，那月桂丛中的夜莺
本来称王于林间有翅的歌手，
他就靠近美丽而骄矜的玫瑰，
在她的幽禁中快乐地栖息，
并且温柔地歌唱给她的心扉，
在荡入神魂的幽暗的夜里。

北 风[①] 1824

凛冽可畏的北风，为什么
你把河边的芦苇吹向山谷？
为什么朝向遥远的天穹
你这样怒号的把云彩追逐？

不久以前，层叠的乌云
还将天庭的圆顶密密遮蔽，
不久以前，山上的橡树
还以骄傲的美色而挺立……

可是你起来了，你在欢舞，
带着雷鸣和荣誉，一路呼啸——
你吹散了密密的乌云，
庄严的橡树也被你掀倒。

啊，但愿太阳的明亮的脸
从现在起，愉快地闪耀，
和煦的西风舞弄着云彩，
芦苇静静地涌起绿潮。

注 释:

    ① 这首诗基于著名的寓言《橡树和芦苇》的情节写出，但被赋予了另一种命意。普希金于 1830 年的誊写稿上注明"写于 1824 年"，但这可能是为了掩饰本诗的含意。据猜测，这首诗是在 1825 年听到亚历山大一世逝世的消息后写出的。

给书刊审查官的第二封信[①] **1824**

金珂夫斯基不稳的事业的继承人[②]！
让我拥抱你吧，我曾经和你谈过心。
不久以前，我被逼人的审查所窒息，
连最后的微末权利也给无情地夺去；
我和所有的同业弟兄都受到威胁，
因此生了气，对你讲话时有点激烈，
满足了一下我狂妄好斗的性癖——
可是，请原谅吧，我实在是憋不住气。
这一时，我住在乡间，翻阅着杂志，
细细剖解我可怜的伙伴们的歪诗
（如今，我有了阅读的兴致和时间），
我高兴起来，因为从那里，突然
我发觉你有了新的想法和条例！
凭你心灵的顽固，头脑的肆无顾忌，
乌拉！你该已给自己赢得了桂冠。
而整个诗坛该是多么惊愕，你看，
当你怀着神奇的恩德，准予赐给诗
像"神圣的""天庭的"这样珍贵的字，
准许用它们（为了押韵）把美人称呼[③]，
而且这还不算是渎犯我主基督！

可是，请问：你何以突然改变了，

是什么平伏了你素性的骄傲？

虽然我很喜欢我上一次的书简，

虽然我知道，你读过了我的怨言，

可是，在刺激你以后，你的这种变更

使我惊而又喜，我岂敢一再骄横。

我对你评论，那是出于我的职务，

但我怎能纠正您？不，我很清楚：

俄罗斯所以有这一重要的新猷

应该归功谁。终于，为了国是策谋，

我们的好沙皇任选了正直的大臣，

席席珂夫担负起学术界的重任。

我们敬重这老头儿：爱荣誉，爱人民，

他享有着一八一二年光荣的声名④；

在权贵中，只有他爱俄罗斯的缪斯，

曾经被漠视的她们召唤和聚集；

他保护喀萨琳桂冠上仅存的花朵⑤，

使它不至在今日的寒流中凋落。

他和我们一起埋怨，当我们的圣父⑥

对奥玛尔和阿里衷心表示佩服⑦：

一面侍奉主人，一面也愉悦自己，

他就热心而积极地把开明窒息。

一个虔信宗教的、温和的人士

竟讨伐纯洁的缪斯，挽救班特斯⑧，

协助他的，有高贵的马格尼茨基⑨，

一个心灵卓越、信仰坚定的人士；

甚至有我可怜的傻瓜凯维林⑩，

马格尼茨基的执事，加利奇的洗礼人。
呜呼，悲哀的学术，你就被寄留
给一切罪恶和它那污秽的手！
啊，审查制度！你也就受着它的辖治！

可是，够了，幽暗的时期已经消逝，
开明底灯光已经烧得更为灿烂。
随着那位倒霉的首脑的更换，
老实说，我在期待审查官的辞职；
可是，不知怎样的，你显然在坚持。
因此，我赶紧向诸位朋友致贺，
并附带一句忠告，希望他们记得。

请严格吧，但须明智。我们并不要
你把法定的一切限制都取消；
也不要你独断地允许我们同业
安全地思想、讲话和印刷一切。
你有你的职责，请保留你的权利。
可是，对和煦的智慧，朴素的真理，
甚至对天真而适当的荒谬之谈，
请别以任意的关卡在路上阻拦。
假如你在消闲之笔的果实里
有时候看不出巨大的裨益，
可是也看不到有猖狂的淫乱
对皇座、神坛或习俗大胆挑战，
那么，就请真诚地爱护作者的荣誉，
挥挥手，我的朋友，大胆地签个字。

注 释：

① 本诗以手抄稿流传。由于沙皇任命 A.C. 席席珂夫代替葛利金为民智部大臣（书刊审查为其所属），而席席珂夫曾上书反对审查的吹毛求疵，因此普希金怀有希望，以为审查制度会有所改变。但席席珂夫施政后，于 1826 年颁布了所谓"铁的"审查规章，给了审查制以滥施权力的一切手段。

② 指比鲁珂夫。金珂夫斯基于 1821 年辞去彼得堡的审查官时，即由他接任。

③ 审查官克拉索夫斯基认为"神圣的""天庭的"这些字用于阴性字如"美"或"美人"前时，是渎神的。

④ 1812 年为俄国对拿破仑战役获胜的一年。席席珂夫当时任亚历山大的国务秘书。

⑤"仅存的花朵"指杰尔查文。席席珂夫经常在杰尔查文家中召集"座谈会"的诗友们。

⑥ 指葛利金。他以伪善和极端的蒙昧主义著称。

⑦ 奥玛尔，伊斯兰教教主，他焚毁了亚历山大城的古图书馆。阿里·穆罕谟德的女婿，他创立了"什一"教派。

⑧ 班特斯是葛利金所袒护的官僚，行为卑鄙。

⑨ M.Л. 马格尼茨基（1778—1855），亚历山大时代最反动的官僚，他参与了 1821 年对彼得堡大学的镇压。他最初追随斯皮兰斯基，斯被放逐后，转入反动阵营。因此普希金讥讽他"信仰坚定"。

⑩ Д.A. 凯维林（1778—1851），彼得堡大学校长，1821 年他解散了该校，后又制造了皇村中学教师加利奇"以激烈思想危害青年"的事件。加利奇公开忏悔，并在教堂中受了"圣水"的"洗涤"。

焚毁的信① 1825

别了，爱情的信！别了，这是她的旨意。

我迟疑了多久！多么久了，手在迟疑，

不愿把我所有的欢乐付之一焚！……

可是，算了，到时候了。烧吧，爱情的信。

我已经决定；我的心不再反复寻思。

啊，贪婪的烈火已经在吞噬你的纸……

只一分钟！……又扑起来烧，火苗的轻烟

冉冉地飘旋，和我的恳求一起消散。

那钟情的指环的烙印，那封口的漆，

都融化了，嘶嘶地响……噢，天命之火！

它完成使命了！焦黑的纸都皱起；

在轻飘的死灰上，那珍重的笔迹

现出白色……我胸口窒息。亲爱的火灰，

永远伴着我在我悲哀的胸口上吧，

你是我凄凉的命运之惨淡的安慰……

注 释：

    ① 本诗和 E.K. 渥隆佐娃伯爵夫人 (1792—1880) 有关，普希金曾长期迷恋于她。

声誉的想望① 1825

每当我为爱情与幸福所陶醉，

屈着膝，默默无言地和你相对，

每当我望着你，心里想：你是我的——

你知道，亲爱的，我是否想望声誉。

你知道：自从避开那浮华的社会，

也不愿再为诗人的虚名所累赘，

倦于长期的风暴，我绝不再去听

遥远的谴责和赞誉的扰攘之声。

难道说，我会计较人言的裁判，

每当你向我低垂着倦慵的视线，

你的纤手轻轻在我的头上抚摸，

并悄悄问：你在爱我吗？你可快乐？

告诉我，你将不会爱别人和我一样？

我的朋友，你将永远不把我遗忘？

那时候，我只保持着困窘的缄默，

我的心里充盈着幸福感，我想着：

没有明天了，那可怕的别离的一天②

永不会来了……可是呢？一转眼间，

眼泪、痛苦、变心、诽谤，一切在我头顶

纷纷碎落……天哪，我怎么了？我站定，

像一个过客，在荒野上遇到电闪，

一切在我眼前昏黑了。而今天

我为一种未曾有过的渴望所煎熬：

啊，我渴望声誉，只为了一片喧嚣

会时刻把我传送到你的耳朵，

只为了要你的周身都环绕着我，

一切，一切都向你嚷着我的姓名；

于是，也许，听着这种钟情的声音，

你会默默想起我的最后的恳求

当我们在花园，在暗夜分手的时候。

注 释：

① 诗写给 E.K. 渥隆佐娃。

② 指普希金即将由敖德萨流放到米海洛夫斯克村。

给克恩① 1825

我忆起了那美妙的一瞬：
我初次看见你的倩影，
那如倏忽的昙花之一现，
有如纯净的美底精灵。

处身在喧腾的浮华漩涡中，
一种无望的忧郁使我疲倦，
但你的玉容和温柔的声音
却久久萦系在我的心间。

岁月流逝着。骤然的风暴
摧残了以往的种种梦幻，
我忘了你的温柔的声音，
也忘了你天庭似的容颜。

我静静捱过了一天又一天，
在乡野里，守着幽禁的暗影，
没有神性的启示，没有灵感，
没有生命和眼泪，没有爱情。

而突然，我的灵魂被摇醒：
因为又出现了你的倩影，
有如倏忽的昙花之一现，
有如纯净的美底精灵。

我的心在欢乐地激荡，
因为在那里面，重又苏醒
不只是神性的启示和灵感，
还有生命、眼泪和爱情。

注　释:

　　① А.П.克恩(1800—1879)，普希金在彼得堡和她结识，以后幽居在米海洛夫斯克村时，克恩又来到该村附近的三山村她的姑母 П.А.奥西波娃家中住了一个夏天(1825年)，和普希金时常来往。在克恩离开三山村时，普希金将这首诗交给了她。

〔俄〕伊林　《给克恩》

"假如生活欺骗了你" ① 1825

假如生活欺骗了你，

不要忧郁，也不要愤慨！

不顺心时暂且克制自己，

相信吧，快乐之日就会到来。

我们的心儿憧憬着未来，

现今总是令人悲哀：

一切都是暂时的，转瞬即逝，

而那逝去的将变为可爱。

注 释：

① 这首诗是题在 Π.A.奥西波娃的女儿 E.H(姬姬).渥尔夫 (1809—1883) 的纪念册上的。

酒神之歌 1825

为什么欢乐的声音暗哑了？

响起来吧，酒神的重叠的歌唱！

来呀，祝福那些爱过我们的

别人的年轻妻子，祝福柔情的姑娘！

斟吧，把这杯子斟得满满！

把定情的指环，

当啷一声响，

投到杯底去．沉入浓郁的琼浆！

让我们举手碰杯，一口气把它饮干！

祝诗神万岁！祝理性光芒万丈！

哦，燃烧吧，你神圣的太阳！

正如在上升的曙光之前，

这一盏油灯变得如此暗淡，

虚假的学识啊，你也就要暗淡、死亡，

在智慧底永恒的太阳前面。

祝太阳万岁，黑暗永远隐藏！

夜莺和布谷[1] 1825

在树林中，在悠闲的夜里，
形形色色的春天的歌手
又是咕噜和呼哨，又是啾啼；
其中，只有布谷絮叨个不休，
很自鸣得意，实则毫无头脑，
唯有布谷才听得头头是道，
它们的回音也是异工同曲。
那哀歌叫得我们真不舒服！
只想拔腿而逃。呜呼，上帝，
让我们躲开号丧的布谷。

注　释：

① 本诗嘲笑了当时诗坛上写哀歌的风气。

冬 晚 1825

风暴把幽暗布满了天空，
空中旋转着雪花的风涛：
风吼着，忽而像是野兽，
忽而又像婴儿的哭嚎；
它忽而在残旧的屋顶上
把茅草吹得沙沙地响，
忽而又像迟归的旅人
用力敲打我们的门窗。

我们在这颓旧的茅舍里，
屋里凄凉而且幽暗。
我的老妈妈①，你怎么了，
默默无言地坐在窗前？
可是听着这旋风的嘶吼，
亲爱的，你渐渐感到疲倦？
还是你纺车的单调的声音
使你不由得在那里困倦？

我们且饮一杯吧，乳妈，
我不幸的青春的好友伴，

以酒消愁吧；那杯子呢？
它会让心里快活一点。
请为我唱支歌，唱那山雀
怎样静静地在海外飞；
请为我唱支歌，唱那少女
怎样在清早出去汲水。

风暴把幽暗布满了天空，
空中旋转着雪花的风涛：
风吼着，忽而像是野兽，
忽而又像婴儿的哭嚎；
我们且饮一杯吧，乳妈，
我不幸的青春的好友伴，
以酒消愁吧；那杯子呢？
它会让心里快活一点。

注 释：

① 指普希金的乳妈阿琳娜·罗吉翁诺夫娜。她伴着诗人在米海洛夫
斯克村度过了幽居的岁月。

［俄］伊林　《冬晚》

散文家和诗人 1825

你在忙什么，散文家？
给我些思想，什么都好；
我会把它削得尖尖的，
然后装上展翅的韵脚，
把它搭在绷紧的弦上，
再使弓背弯一弯腰，
于是一鼓气将它射出，
看我们敌人一命呜呼！

默 认① 1826

我爱你,尽管我自觉羞惭,
尽管我发怒,尽管这种爱情
是枉然的努力,在你的脚前
我得承认这不幸的愚蠢!
这爱情不得体,于年龄也不合……
啊,是时候了,我应该变得
更为明智,可是凭一切特征
我看出这是我心里相思的病!
你不在,我就厌烦——我打呵欠,
面对着你,我忧郁——我为难,
我愿意对你说,可是又羞怯:
"我的天使啊,我多么爱你!"
有时候,从客厅里传出来
你轻盈的脚步,衣裙的窸窣,
或是你少女的天真的话声,
我立刻丧失了所有的理性。
看到你微笑——我感到欢欣,
你转过身去——我立刻苦闷,
折磨一天后,你苍白的手
对我就是值得的报酬。

当你坐着，自如地弯着身

在刺绣架上殷勤地刺绣，

你的鬈发披垂，灌注着全神——

啊，默默地，我充满了温柔，

像个孩子，欣赏着你的姿态。

我可要对你诉说我的悲哀，

我的忧心忡忡和嫉妒：

每当你有时，尽管天气阴霾，

还要到遥远的地方去散步；

还有你独自一人的落泪，

还有钢琴演奏的小晚会，

还有俩人在一隅的谈心，

还有到奥波契加②的旅行？……

阿琳娜！请施给我一点怜悯。

我不敢向你请求爱情。

也许，为了我的那些罪愆，

天使啊，我不值得你的爱恋，

请假装一下吧！你的一瞥

永远能奇妙地倾诉一切！

唉，骗一骗我并不很难，

我是多么高兴被你欺骗！

注 释：

① 本诗是为 Π.A.奥西波娃的女儿阿琳娜而写的。

② 奥波契加，普茨科夫省的城市。

先 知① 1826

被心灵的饥渴折磨不止，
我缓缓行在幽暗的荒原——
突然间，一位六翼的天使
在十字路口上对我显现。
他伸出轻柔如梦的手指
在我的眼瞳上点了一点，
于是，像一只受惊的兀鹰，
我睁开了先知的眼睛。
他又轻触一下我的耳朵
使它立刻充满了音响：
我听到九霄云天的哆嗦，
天使在高空傲然的飞翔，
海底的怪兽在水下潜行，
和荒溪中藤蔓生长的声音。
他又弯下身，探进我的嘴
连根拔去我罪恶的舌头，
使我再也无法空谈和狡狯；
接着他以血淋淋的右手
伸进我的喑哑的口腔，
给我装上智慧之蛇的舌头。

然后，他用剑剖开我的胸膛，

把一颗颤抖的心给我挖走，

一块火焰熊熊的赤炭

他给塞进我裂开的心坎。

像一具死尸，我躺在荒原上，

于是上帝的声音对我呼唤：

"起来吧，先知！要听，要看，

让我的意志附在你的身上，

去吧，把五湖四海都走遍，

用我的真理把人心烧亮。"

注 释：

① 本诗是在十二月党人受刑的消息传来后写成的，它采用《圣经·以赛亚书》第六章的主旨，写出了诗人的先知的使命。

冬天的道路

透过一层轻纱似的薄雾
月亮洒下了它的幽光，
它凄清地照着一片林木，
照在林边荒凉的野地上。

在枯索的冬天的道上
三只猎犬拉着雪橇奔跑，
一路上铃声叮当地响，
它响得那么倦人的单调。

从车夫唱着的悠长的歌
能听出乡土的某种心肠；
它时而是粗野的欢乐，
时而是内心的忧伤。……

看不见灯火，也看不见
黝黑的茅屋，只有冰雪、荒地……
只有一条里程在眼前
朝我奔来，又向后退去……

我厌倦，忧郁……明天，妮娜，
明天啊，我就坐在炉火边
忘怀于一切，而且只把
亲爱的人儿看个不倦。

我们将等待时钟滴答地
绕完了有节奏的一周，
等午夜使讨厌的人们散去，
那时我们也不会分手。

我忧郁，妮娜：路是如此漫长，
我的车夫也已沉默，困倦，
一路只有车铃单调地响，
浓雾已遮住了月亮的脸。

夜莺和玫瑰 1827

园林静悄悄，在春夜的幽暗里，
一只东方的夜莺歌唱在玫瑰花丛。
但可爱的玫瑰没有感觉，毫不注意，
反而在恋歌的赞扬下摇摇入梦。
你不正是这样给冰冷的美人歌唱？
醒来吧，诗人！有什么值得你向往？
她毫不听，也不理解诗人的感情；
你看她鲜艳；你呼唤——却没有回声。

天 使 1827

在伊甸门口，温柔的天使
低垂着头，闪耀着金光，
而那阴沉好乱的魔鬼
在地狱的深渊里翱翔。

作为否定和怀疑底精灵，
他凝视着那纯洁的神，
于是初次不安地尝到了
不自主的倾心的温馨。

"请原谅"，他说，"我看见你了，
你没有白白对我照耀：
我不再看到天庭就憎恨，
对人间也不一切都轻蔑。"

给吉普林斯基^① 1827

你飘忽的时尚的宠幸者，
虽非英、法画家，蜚声欧陆^②，
魔法师啊，你却重造了我，
我，这纯洁的缪斯的门徒——
使我也可以，在一旦摆脱
人生的桎梏后，嘲笑坟墓。

我仿佛在镜中看到自己，
但这镜子阿谀了我的相貌。
它向人宣示，我没有贬低
庄严的缪斯对我的偏好。
那么，让罗马、德累斯顿、巴黎，
此后知道我的模样也好。

注 释：

① 风行一时的肖像画家 O.A.吉普林斯基给普希金画了著名的肖像，并将携出国外用作画展。本诗因此而作。
② 当时著名的英国画家陶和法国画家恩格罗。

诗 人 1827

当阿波罗还没有向诗人
要求庄严的牺牲的时候，
诗人尽在怯懦而虚荣地
浸沉于世俗无谓的烦扰；
他的神圣的竖琴喑哑了，
他的灵魂咀嚼着寒冷的梦；
在空虚的儿童世界中间
也许他是最空虚的儿童。

然而，诗人敏锐的耳朵
刚一接触到神的声音，
他的灵魂立刻颤动起来，
像是一只惊醒的鸷鹰。
他厌烦了世间的嬉戏，
不再聆听滔滔的人言，
他高傲的头不肯低垂
在世俗的偶像的脚前；
他变得严峻，性情古怪，
心里充满了繁响和紊乱，
他要朝向荒凉的海岸狂奔，
投进广阔的喧响的树林……

护身符 1827

在海水永远泼溅的地方，
在那荒凉的嶙峋的石岸，
透过夜的薄雾，皎月的光
把良宵的一刻照得更暖。
在那儿，后庭的欢娱无尽，
回教徒可以日日安乐。
那儿，爱抚我的娇媚女人
把一个护符交给了我。

她爱抚着我，对我说道：
"请你保存这一个护符，
它是灵异避邪的一宝！
是爱情给了你这个礼物。
要想远离疾病、坟墓，
要想躲避飓风和雷雨，
亲爱的，要祈求这种保护，
我的护符都无能为力。

"那东方的豪华的财富
它不能够给你带来，

它不能吸引一群信徒
把你当作先知膜拜；
在凄凉的异乡感到陌生，
要想从南到北回到故土。
要想回到友情的怀中，
我的护符也无能帮忙。

"可是，如果有狡狯的眼睛
突然使你陶醉，沉迷，
如果在黑夜，没有爱情
有人的嘴唇却吻了你——
亲爱的！要想不犯罪行，
也不再惹来心灵的创伤，
要想躲开负心和薄情，
这护符会保你安然无恙。"

致友人① 1828

不，我不是诌媚的人，尽管我
对沙皇致以慷慨的赞颂：
我大胆表现了自己的情感，
我以语言发出自己的心声。

我只是单纯地爱惜他：
他精明而正直地治理全国；
他以勤劳的工作、战争、希望②，
使俄罗斯突然生气勃勃。

啊，绝不！尽管他青年气盛，
他帝王的心性却不残忍：
那公开受到他的惩罚的
他又暗地里予以宽仁。

我的日子在流放中逝去。
我忍受着和友人的别离，
然而，他向我伸出帝王的手，
看哪——我和你们又在一起。
他尊重我的诗的灵感，

他任我的幻想自由奔放，
我的心因此深为感动，
难道不应该将沙皇颂扬？

我阿谀！不，朋友，阿谀的人
是诡诈的：他只给沙皇祸害；
关于沙皇的一切权柄，
他要限制的是他的仁爱。

他会说：蔑视那些人民吧，
窒息天性的温柔的声音。
他会说：什么开明底果实
还不是腐化和叛乱的精神！

多不幸的国家，如果只有
媚臣和奴才包围着皇座，
那时候，即使天选定的歌手
也只得不顾本分而沉默。

注 释：

①　诗人在 1826 年所写的《四行诗节》使他的朋友们认为他成了沙皇的阿谀者而加以攻讦。本诗即对这种谴责的答复。由于最后三节为沙皇不满，它未获准发表。

②　这里的战争指 1826 年至 1828 年间对波斯的战争，俄国获胜。"希望"是指：1826 年 12 月 6 日的秘密委员会应审议农民地位问题，使诗人对此抱有希望。但这希望并未实现。

你和您① 1828

她一句失言：以亲热的"你"
代替了虚假客气的"您"，
使美妙的幻想立刻浮起，
再也捺不住这钟情的心。
我站在她面前，郁郁地，
怎样也不能把目光移开；
我对她说："您多么可爱！"
心里却想："我多么爱你！"

注 释：

① 这是写给艺术学院院长的女儿安娜·奥列尼娜(1808—1888)的。普希金曾向她求过婚，以后又撤销此议。据奥列尼娜说，她对普希金说话时错用了"你"字，第二个星期日诗人就拿来了这首诗。

预 感[①] 1828

静静地，险恶的阴云
又来到我的头上凝聚；
又一次，嫉妒的命运
要示以灾祸，使我畏惧……
我可还对它一样轻蔑？
是否当命运与我为敌，
我还能以青春的骄傲
对它摆出坚强和耐力？

我被狂暴的生活折磨够，
只淡漠地等待着风险：
也许，这一次我又得救，
又会找到避难的港湾……
然而，预感到我们的分离，
那难免的可怕的一刻，
我的安琪儿，我要快快地
最后一次把你的手紧握。

温柔的、娴静的天使啊，
请悄悄地说一声："再见"，

忧伤吧：任随你仰视

或者低垂下多情的眼，

它将留在我的心灵里；

我将以对你的怀念

取代心中的骄傲、希望、魄力，

以及青年时代的勇敢。

注　释：

　　① 这首诗是对安娜·奥列尼娜写的。此时诗人因他所写的《安得列·谢尼埃》一诗以手抄稿流传颇广，引起沙皇政府的不满，有加以迫害之意，所以有此预感。

毒 树 1828

在枯干而贫瘠的荒原上，
酷热灼烤着泥土的地面，
一棵安渣树①，像森严的守望，
傲然独立于整个天地间。

这干渴的荒原，大自然母亲，
在暴怒的日子把它诞生，
她把毒汁灌给它的根，
又把枝上的死绿喂得茂盛。

毒汁从树皮里滴滴溢出，
日午的炎热把它熔为液体，
到黄昏的时候，它冷固
成为透明的树脂的晶体。

连小鸟都不朝向它飞，
虎也不来——只有黑旋风
有时朝这死亡之树猛吹，
然后跑开，但已染上疫症。

如果有浮游的云擦过去，
把茂密的叶子润泽，
从枝上就流下滴滴毒雨
打在火热的砂地，有如沸锅。

然而，人却能以威严的目光
把别人派到毒树那里，
那人立刻俯顺地前往，
次日一早，带回了毒剂。

他献上了致命的树脂
和叶子已枯萎的枝干，
啊，他苍白的前额尽湿，
汗水流下来有如冷泉。

献完了，接着虚弱地倒在
帐篷里的树皮地面，
这可怜的奴隶于是死在
无敌的主子的脚前。

于是这骄矜的君王②
把他的羽箭浸满了毒，
他就向远近的邻邦
把这些死亡的箭射出。

注 释:

① 安渣树 (AHЧAP) 是一种热带树，富有毒性，生长在东印度和马来半岛上。

② 有的版本作"君王"，有的版本作"公爵"，这是因为普希金在再版时，不得不把"君王"改成"公爵"，以掩饰攻击专制政体的原意。

答卡杰宁^① **1828**

热情的诗人啊，你枉然
向我举起神异的酒盅，
你白白要我为健康饮干：
不，我不喝，亲爱的邻人^②！
我可爱但狡狯的伙伴，
你的酒盅盛的不是酒，
而是令人热狂的毒剂，
它以后就会引我上钩，
随着你再去追求荣誉。
当老练的骠骑兵招募
壮丁的时候，他岂不是
送上酒神的快乐的礼物，
直到引起战争的热情，
就地收割了这个新兵？
我服过役——可是如今
我该回家去享受安静。
由你充当巴纳斯的部卒吧，
尽管为职责把酒杯斟满，
请你独自带醉地握住
高乃意或塔索的桂冠^③

注 释:

① П.A.卡杰宁(1792—1853),送交普希金两首诗供《北方之花》发表,一是民歌《古老的传说》,一是致普希金的书信诗。那篇民歌讲到有两个歌者在伏拉狄密尔公爵前比赛。冷酷的希腊歌者(意指普希金)以华丽的歌颂扬了帝王的仁慈,被赐以武器;俄国歌者(卡杰宁自比)谢绝比赛,被赐以二等奖——酒杯。卡杰宁说,现在,这酒杯应该属于普希金,请他用这只杯子饮酒;并说,这杯子是受过魔咒的,只有真正的诗人才能使用它而不倾洒。普希金将自己的答诗和民歌同时刊在《北方之花》杂志上。

② 这一行诗引自杰尔查文的《沉醉的和清醒的哲人》。

③ 卡杰宁译过法国悲剧作家高乃意的《希德》和意大利诗人塔索的《解放了的耶路撒冷》一部分。

小 花 1828

我在书里发现一朵小花，
它早已干枯了，也不再芬芳，
因此，我的心里就充满了
许许多多奇异的遐想：

是哪一个春天，在哪一处
它盛开的？开了多长时间？
谁摘下的？是外人还是熟人？
为什么放在这书页中间？

可是为了纪念温柔的相会？
还是留作永别的珍情？
或者只是由于孤独的散步
在田野的幽寂里，在林荫？

是他还是她？还在世吗？
哪一个角落是他们的家？
啊，也许他们早已枯萎了，
一如这朵不知名的小花？

诗人和群众^① 1828

走开吧，凡俗的人们！

诗人以不经意的手指
在灵感的琴弦上拨弄。
他歌唱——而凡俗的人世，
一些冷漠的、傲慢的群众，
茫茫然围听着他的歌声。

于是呆钝的人群议论说：
"为什么他这样激扬而歌？
发着无益的震耳的音响，
他要把我们引到什么地方？
他弹些什么？教给我们什么？
为什么像固执地玩弄魔术，
他来把人心激动和折磨？
他的歌和轻风一样自如，
但也和轻风一样没有结果：
他究竟给我们什么益处？"

诗人

住嘴吧，不可理喻的人民，

做日工的、忙于糊口的奴隶，

你们是虫豸，不是天之子，

你们无礼的怨言令人厌腻；

对于你们，实利就是一切，

你们要把阿波罗的石像

也放在秤上去论斤两，

你们看不出它有什么效益。

然而，这大理石可就是神祇！……

那怎样呢? 烹锅更有价值，

你们可以用它烹调饮食。

群众

不，如果你是天之骄子，

天庭的使者啊，你该使

你的才能为我们谋福利，

对于世道人心有所教益。

不错，我们怯懦，我们狡狯，

毫无廉耻、恶毒、忘恩负义，

我们的心灵冷酷无感，

我们是爱诽谤的蠢材、奴隶，

罪恶团团聚在我们心坎。

但是，你该爱你切近的人，

你可以给我们大胆的教训，

我们会听从你的言语。

诗人

走开吧！安详歌唱的诗人

和你们能有什么关系？

你们尽量僵化和腐蚀吧，

琴声又怎能使你们复活！

你们像坟墓一样令人厌恶。

由于你们的愚蠢和恶毒，

直到现在，你们还保留

皮鞭、幽暗的牢狱、铁斧——

疯狂的奴才，你们已使人够受！

在你们的喧嚣的市街上

清扫垃圾——多有益的事情！

可是，你们的牧师能不能

暂时忘了祭坛和祀礼，

拿起扫帚来把垃圾清理？

我们歌唱并不是为了

贪婪、战争或世人的狂潮，

我们是为了灵感而生，

为了美妙的音节和祈祷。

注 释：

① 这首诗是对要求普希金写道德的教诲的答复。早在 1828 年之初，在《莫斯科导报》上就刊载过"严刻的酷评家们"要普希金"宣示道德的训诫"的劝告，而那时普希金还是接近该报编辑部的。不仅在报刊上，而且在社会中，特别在接近沙皇政府的一些人中间，显著地有一种想使诗人成为表现与他格格不入的思想工具，"指导"他的笔服务于实际的目的和利益的企图，远离普希金在其作品中为己所树立的那些理想。就是

针对这些人,普希金提出了创作自由。如果把此诗看作是宣扬所谓的"为艺术而艺术",那无论如何是错误的。这可以由普希金的全部创作的全面观察所否定。(《普希金全集》1950 年版编者按语)

"我以前是怎样的" 1828

Tel j'ètais autrefois et suis encor①

我以前是怎样的，现在还是那样：
无忧的心，善于钟情。你们早知道，朋友，
我是否能看到美色而不神魂荡漾——
我怎能没有内心的激动，怯懦的温柔！
难道爱情还没有和我耍弄得够久？
在维纳斯所布置的欺骗的网中，
像一只幼鹰，我挣扎、冲击得还不够？
但是，多次悔恨的经验并没有把我改正，
对着新的偶像，我又奉献了我的恳求……

注 释：

　　① 题词为法文，摘自法国诗人安得列·谢尼埃，意即"我以前是怎样的，现在还是那样"。

征 象① 1829

我来看你，一群活跃的梦
跟在我后面嬉笑，飞旋，
而月亮在我右边移动，
也健步如飞，和我相伴。

我走开了，另外一些梦……
我钟情的心充满了忧郁，
而月亮在我的左上空
缓缓地伴着我踱回家去。

我们诗人在孤独中
永远沉湎于一些幻想，
因此，就把迷信的征象
也织入了我们的感情。

注 释:

　　① 关于这首诗，А.П.克恩写道:"几天之后，他在晚间来了，坐在
小小的石凳上(那石凳，现在我是当作圣物一样保留着)，在一张短笺上
写了'我来看你……'这首诗。写完以后他以嘹亮的声音把它读给我听。
读到'而月亮从我的左上空……'的时候，他笑着说，'自然月亮是在左
边，因为我是走回去了'。"

给一个加尔梅克姑娘[①] 1829

可爱的加尔梅克姑娘，
再见吧，我那可喜的习性[②]
简直要使我去到草原上，
让我原来的心计落空，
只跟在你的篷车后飞奔。
你的眼睛，自然，有些小。
你有扁平的鼻子，宽额角，
你不会用法文喁喁会谈，
丝绸也没有盖着你的脚；
你不会坐在茶炊前面
学英国的花样撕裂面包；
圣马尔[③]引不起你的赞叹，
莎士比亚也不能欣赏；
你不会沉入无穷的梦幻，
而当你的脑子不在思想，
也不会低吟："但是在哪方"，
更不会在舞会里急跳……
有什么关系？—— 将近半点钟，
等着人们把我的马驾好，
你野性的姿容，你的眼睛，

一直盘旋在我的心上。

朋友们！这可有什么两样？

无论你把心灵的欢乐

寄托在灿烂的客厅，在包厢，

或者在游牧民族的篷车？

注　释：

①　加尔梅克为蒙古游牧民族，普希金在赴阿尔兹鲁姆途中遇到他们的车队。他曾这样写道："有几天我访问了加尔梅克人的篷车……一个年轻的加尔梅克姑娘很不难看，她缝着衣服，吸着烟……"

②　以前在吉辛辽夫时，普希金曾在茨岗的帐幕中过了一些时日。

③　《圣马尔》是维聂著的法国历史小说，在十九世纪二十年代的俄国颇为流行。

顿 河[①] 1829

在辽阔的原野上闪耀着的
正是它的洪流！……你好啊，顿河！
我来自远方，和你长久地别离，
你的远方的儿子向你敬礼！

许多河水像是你的小兄弟，
它们都知道你，静静的顿河！
我来自阿拉克斯和幼发拉底，
我从那儿给你带来了敬礼。

顿河的马儿把敌人追够，
现在来到了阿尔巴察河边，
它们憩息着，饮着河水的清流，
却已感到了乡土的温柔。

神圣的顿河啊，你可是在等候
你的勇敢的哥萨克骑兵；
快拿出你的葡萄园的名酒，
让它沸腾地、闪烁地迸流。

注 释：

① 普希金在 1829 年到过高加索的俄国与土耳其战争的前线，返回俄国后写成这首诗。俄军于返国途中，经过外高加索的阿拉克斯河，土耳其的幼发拉底河和与土耳其接壤的阿尔巴察河。

旅途的怨言 1829

在世上我还得漫游多久，
一会坐马车，一会骑马跑，
一会坐驿车，一会坐轿车，
一会坐雪橇，一会又动脚？

不是在世代的巢穴里，
也不在祖先埋葬的坟场，
老天早已注定了，多半是
我将死在宽阔的大路上，

或在山上被车轮子辗过，
在碎石路上被马蹄践踏，
或者在水冲的深沟里，
淹死在坍塌的桥梁底下。

或者黑死病把我勾去，
或者让冰雪把我冻挺，
或者被拦路杆子打上前额，
我啊，本来有病，动转不灵。

或者在树林，强盗一挥刀
使我丧命在路旁的草地，
或者在什么检疫所中
由于整天无聊而倒毙。

唉，我还得多久带着饥愁
捱过那强制的斋戒期，
对着雅尔①调味的麦蕈菌
冷牛肉便浮上了记忆？

那该是多快意：就固定下，
在麦斯尼兹卡街②来回驰驱，
闲暇的时候就盘算
乡下的田产和未婚妻！

那多么快意：饮饮甜酒，
夜晚做梦，早晨喝茶；
多么快意啊，朋友，在家里！……
好，那么去吧，追赶一下！……

注　释：

①莫斯科的饭馆名。
②莫斯科的街道。

冬天的早晨 1829

冰霜和阳光：多美妙的白天！
妩媚的朋友，你却在安眠；
是时候了，美人儿，醒来吧！
快睁开被安乐闭上的睡眼，
请出来吧，作为北方的晨星，
来会见北国的朝霞女神！

昨夜，你记得，风雪在飞旋，
险恶的天空笼罩一层幽暗，
遮在乌云后发黄的月亮
像是夜空里苍白的斑点，
而你闷坐着，百无聊赖——
可是现在……啊，请看看窗外：

在蔚蓝的天空下，像绒毯
灿烂耀目地在原野上铺展，
茫茫一片白雪闪着阳光，
只有透明的树林在发暗，
还有枞树枝子透过白霜
泛出绿色：冻结的小河晶亮。

整个居室被琥珀的光辉
照得通明。刚生的炉火内
发出愉快的噼啪的声响，
这时，躺在床上遐想可真够美。
然而，你是否该叫人及早
把棕色的马套上雪橇！

亲爱的朋友，一路轻捷
让我们滑过清晨的雪，
任着烈性的马儿奔跑，
让我们访问那空旷的田野，
那不久以前葳蕤的树林，
那河岸，对我是多么可亲。

"我爱过你"　1829

我爱过你：也许，这爱情的火焰
还没有完全在我心里止熄；
可是，别让这爱情再使你忧烦——
我不愿有什么引起你的悒郁。
我默默地，无望地爱着你，
有时苦于羞怯，又为嫉妒暗伤，
我爱得那么温存，那么专一；
啊，但愿别人爱你也是这样。

高加索 **1829**

高加索在我眼底。我独自站立
在高山顶，在悬崖边的积雪上，
一只苍鹰从远处的突峰腾起，
和我并齐，平舒着翅翼翱翔。
我从这里看见了急水的源头
和那惊人的雪崩的初次颤抖。

这里，乌云在我脚下俯顺地飘逸，
穿过乌云，我听见了喧响的瀑布；
峥嵘赤裸的层巅在云下矗立，
再往下面，是枯索的藓苔和灌木；
更往下看，已经有翳翳的林荫，
小鸟在鸣啭，一群野鹿在驰奔。

在那里，山坳中，聚集一些人家，
一群绵羊在青绿的岩壁上爬行，
一个牧人正朝愉快的山谷走下，
阿拉瓜河的两岸铺满了浓荫；
一个穷汉骑着马，没入夹谷山道，
捷列克河在猛烈地欢腾、咆哮；

它欢腾、咆哮，像是初生的野兽
从铁笼里望见了栏外的食品，
于是它充满敌忾，冲激着石头，
用饥号的波浪把岸边峭壁舐吮……
可是枉然！既没有食物，也没有慰安：
只有沉静的峰峦死死压着心坎。

加兹别克山上的寺院 1829

高高的，在层峦叠嶂中，
加兹别克，你的庄严的顶篷
闪着永远不灭的光芒；
在群山之上，你的寺院
像是方舟在天空中浮荡，
它隐约的，翱翔着在那云端。

哦，我所渴望的、迢遥的彼岸，
但愿我能对狭谷说："再见"，
便升腾于那自由的峰顶！
但愿我踱进那云中的寺院，
在神仙的附近悄悄寄隐！

"我的名字"① 1830

我的名字对你能意味什么？
它将死去，像溅在遥远的岸上
那海浪的凄凉的声音，
像是夜晚的森林的幽响。

在这留作纪念的册页上，
它留下的是死沉沉的痕迹，
就仿佛墓碑上的一些花纹，
记载着人所不懂的言语。

它说些什么？早就遗忘了
在新鲜的骚扰和激动里，
对你的心灵，它不能提示
一种纯洁的、柔情的回忆。

然而，在孤独而凄凉之日，
你会悒郁地念出我的姓名；
你会说，有人在怀念我，
在世上，我还活在你的心灵……

注 释:

① 本诗是写给 K.A. 索班斯卡娅 (1794—1885) 的纪念册上的。

致诗人 1830

诗人啊，请不要重视世人的爱好，
热狂的赞誉不过是瞬息的闹声；
你将听到蠢人的指责，社会的冷嘲，
可是坚持下去吧，你要沉着而平静。

你是帝王：在自由之路上自行其是，
任随自由的心灵引你到什么地方；
请致力于完善你珍爱的思想果实，
也不必为你高贵的业绩索取报偿。

它本身就是报酬。你是你的最高法官；
对自己的作品，你比谁都更能严判。
苛求的艺术家啊，它是否使你满意？

满意吗？那么任世人去责骂它好了，
当你的神坛的火在烧，任他们唾弃，
并且和顽童一样，摇撼你的香炉脚。

圣 母[1] 1830

我从不喜欢在自己居室的四壁
琳琅满目地装饰古典大师的绘画，
那不过为了使客人迷信而惊奇
听着鉴识家自我卖弄的一番评价。

在我朴素的一角，在迟缓的工作中间，
我愿意终生观看的画只有一幅。
只有一幅：虽然是画，却仿佛从云端
最纯洁的圣母和我们神圣的救世主
（她的容貌庄严，他的眼睛流露着智慧）
和蔼地看着我，全身笼罩荣誉和光辉，
四周没有天使，头上是郇山[2]的芭蕉树。

我的万千心愿都满足了。啊，是上苍
把你恩赐给我的：你啊，我的圣母，
你是最纯净的美之最纯净的形象。

注 释：

①　这首诗是赠给诗人的未婚妻龚佳罗娃的，据诗人说，拉菲尔所绘的圣母和她的容貌简直像两颗水珠一样的没有分别。
②　郇山，耶路撒冷的圣山，被认为是天国的城。

哀 歌 1830

那荒唐的岁月，已逝去的欢乐，
有如酒醉后的昏沉折磨着我；
但和酒一样，往日留下的忧郁
在心里愈久，愈变得强烈有力。
我的路是凄凉的。啊，坎坷的未来！
你汹涌的海洋只给我辛劳和悲哀。

然而，朋友，我还不愿意了此一生；
我要活下去，好可以思索和苦痛；
我知道，我也会享受种种乐趣
在痛苦，焦虑和日夜操心里。
还有时，我会为乐声而沉醉，
我会对着虚构再倾流热泪；
也许，对我忧郁的生命的夕阳，
甚至爱情会以临别微笑而放光。

告 别① 1830

最后一次了，在我的心头
我拥抱着你可爱的倩影，
并以全力唤起那心灵的梦，
我带着怯懦的温柔
郁郁地回忆着你的爱情。

我们的岁月迅速更替，
它改变一切，也变了我们，
而今你，对于你的诗人，
已遮在坟墓的幽暗里，
对于你，他也已经不存。

遥远的女友啊，请接受
我这深心道出的珍重，
一如寡妇告别了亡人，
一如默默地拥抱一个朋友，
然后他就永远被幽禁。

注 释：

① 这首诗是为 E.K. 渥隆佐娃写的。

我的家世① 1830

俄罗斯的一批下流的文人
对他们的同业肆意讪笑，
他们硬说：我是贵族豪门。
请看吧，这是多么胡说八道！
我既非文官，也不带军队，
既不当教授，也不高居学林，
又没有十字章封我以爵位②，
我只不过是俄罗斯的平民。

我理解到时代的嬗变，
是的，我并不和时代辩驳；
我们有了新兴的门第，
而门第越新，也就越显赫。
我不过是旧门第的残余
（很不幸，不只我一个人不新），
我是古代贵族的后裔，
伙计们，我呀，一个卑微的平民。

我的祖先没有卖过油饼③，
也没有擦过沙皇的皮靴，

也没有和教堂职事合唱于宫廷，

或者一步登天，变为公爵；

也没有人临阵而逃出

奥地利的敷发粉的大军。

这样，难道我能算是贵族？

我呀，谢谢天，是一个平民。

我的先祖拉恰④凭着臂力，

侍奉过神圣的聂夫斯基⑤，

他的后代受到伊凡四世⑥

那愤怒之王的宽宥。

从此，普希金家族就和沙皇

结了交；当尼日城的市民⑦

和波兰的士兵对阵沙场，

他们有不少立过功勋。

等阴谋和叛变都已扫平，

也熄了险恶的战争的怒火，

人民在自己的国书上就指定

罗曼诺夫们坐上皇座⑧。

我们向王朝的人伸出手去，

那苦行人之子也给以宠幸⑨，

我们一直被帝王重视；

一直……但现在，我是一个平民。

正直的精神害了我们一族，

全家族最桀骜不驯的人，——

我的高祖竟和彼得相左，
因而被沙皇处以死刑⑩。
这给我们上了一课教导：
当权的人不喜欢论争。
道尔格鲁考公爵⑪有福了，
明智的是那顺从的百姓。

当叛乱发生在彼得果夫宫⑫，
我的祖父像米尼赫那样
仍然对彼得三世忠心耿耿，
也不惜效忠于他的覆亡。
奥尔洛夫弟兄⑬得以显赫，
而我的祖父却被幽禁。
因此，我们一族的刚烈性格
驯服了，而我也生为平民。

我还保留着成捆的皇诏，
上面有我的家徽的印记；
我没有和一般新贵结好，
而力求把骄傲的血平息。
我以读读书、写写诗而自遣，
我只是普希金，而不是穆新⑭，
我既不富有，也不是达官，
这却很自在：我只是一个平民。

附 记

"江湖卖艺人"⑮在家一转念：
于是我的外曾祖，黑人汉尼巴⑯，
据说卖到了船长的手边，
一瓶甜酒就是他的身价。

这船长是个有名的船长⑰，
我们的世界随着他运行，
他掌舵在祖国的大船上，
给他以权威的迅急地推动。

船长对我的曾祖很是亲近，
同样地，这个买来的黑人
对于沙皇也是热诚、忠贞，
他不是奴隶，却成了亲信。

他的儿子，另一个汉尼巴⑱，
把强大的舰队一举击破，
并看它燃烧在切斯敏海峡，
于是纳瓦林初次陷落。

"江湖卖艺人"灵机一动说：
我是贵族之中的平民。
他在那可敬的一窠算是什么？
他呀，米商斯卡街的贵人⑲。

［苏联］瓦季姆·亚历山大耶维奇·米林　《行吟的普希金》

注 释:

① 在官方刊物《北方蜜蜂》上，布尔加林曾讥诮普希金，说他冒充贵族，实则不过是贵族中的平民而已。又说到他的外曾祖是彼得大帝用一瓶甜酒买来的黑奴。本诗便是对这种人的答复。它未获准发表，但以手抄稿流行颇广，为诗人树立了许多敌人。

② 按照彼得一世所颁布的法令，凡是出身于军官、八品文官或有三十五年服务而获得四等伏拉狄密尔十字章的人，都可为贵族。

③ 这以下六行影射当时贵族间传为笑谈的一些事情。"卖油饼"的人指孟什珂夫公爵(1670—1729)，据说他少时曾在莫斯科大街上卖过油饼；库达索夫伯爵曾当过巴维尔一世的近侍，"擦过皮靴"；在教堂里当过唱诗班歌手的是拉祖莫夫斯基伯爵(1709—1771)，他由于成为伊丽莎白皇后的情人而晋升；"一步登天，变为公爵"的是 А.Д. 别兹波罗多科；"敷发粉"的逃兵指 П.А. 克来因米黑里伯爵的祖父。

④ 拉恰，传说是普希金族的远祖，他自普鲁士移居俄国。

⑤ 亚历山大·聂夫斯基，十三世纪俄国的大侯爵。

⑥ 伊凡四世(1533—1584)，俄国沙皇。

⑦ 指尼日城的商人库西玛·米宁，他组织了民众，于1612年将莫斯科从波兰军的占领下解放出来。

⑧ 1613年，俄国议会使罗曼诺夫族的米海依尔·菲奥得罗维奇登位(1613—1645)。普希金家族有七个人是那议会的议员，他们都在那议会通过的选举法上签了字。

⑨ "苦行人之子"指米海依尔·菲奥得罗维奇·罗曼诺夫，他的父亲被迫削发为僧。

⑩ 菲奥多尔·普希金因为参加反革新的阴谋活动，1697年被彼得大帝处死。

⑪ 雅珂夫·道尔格鲁考是彼得大帝的宠臣。

⑫ 1762年6月28日的宫廷政变，颠覆了彼得三世，使叶卡捷琳娜二世登位。米尼赫(1683—1767)曾任元帅，在政变后仍为女王重用。普希金的祖父列夫·普希金当时服务于彼得三世的炮兵队，政变后被幽禁两年。

⑬ 奥尔洛夫弟兄共五人，他们是1762年宫廷政变的主持者。葛利高里·奥尔洛夫(1734—1783)是叶卡捷琳娜二世的宠臣。

⑭ 普希金族有一支派是穆新·普希金，他们从十七世纪末叶即为世

袭伯爵，直到 1836 年告终。普希金不是这一支派的。

⑮ 指写文讥诮普希金的布尔加林。

⑯ 阿勃拉姆·汉尼巴。

⑰ 指彼得大帝。

⑱ 指 И.А. 汉尼巴，阿勃拉姆之子。1773 年，他率领舰队击败土耳其海军，攻陷了纳瓦林城。

⑲ 米商斯卡街是彼得堡妓院和赌场的所在地区，布尔加林的妻子在结婚前和这条街的人物有关联，因此普希金称他为"米商斯卡街的贵人"。

回 声 1831

无论是野兽在林中嚎叫，
或是雷鸣，或是吹起号角，
或是少女在山坡后歌唱——
　　　对于每一种声音
你都在茫茫的空中报以反响，
　　　立刻给出了回应。

你倾听着霹雷响声隆隆，
暴风雨的吹打，波涛的翻腾，
还有乡野的牧童的招呼——
　　　一切引动你的回荡；
但是你自己却得不到答复……
　　　诗人啊，你也一样！

美 人 ① 1832

她的一切都和谐、珍异，
一切超升于激越的世情；
她只怯懦地静止在那里，
她的美色已超凡入胜；
她扫视一眼云集的仕女，
既没有对手，也没有侣伴；
啊，我们一圈苍白的艳丽
都已在她的光彩下消散。

无论你忙着去做什么，
尽管是去和情人会见，
无论你的心里宴飨着
怎样秘密的珍贵的梦幻，
可是碰见了她，你会迷惘，
并立刻不自主地呆住，
你会虔诚地充满了景仰
对着这神圣美妙的造物。

注 释：

① 本诗是写在 E.M. 莎瓦多夫斯卡娅 (1807—1874) 的纪念册里的，
她以美著称。

给——① 1832

不，不，我不该，不敢，也不能
再疯狂地追求爱情的激动，
我不能再让心灵燃烧、沉迷，
我要严格地保持自己的静谧；
不，我爱得够了；然而，为什么
有时我不安于顷刻的幻梦，
每当从我眼前不意地掠过
一个年轻、纯净、天庭的生命
随即飘然消隐……难道我不能
清心寡欲地欣赏一个少女，
用眼睛追逐她，并在安静中
全心祝祷她幸福和欢愉，
祝祷她把一切荣华都尽享，
无忧的悠闲，平和愉快的精神，
甚至祝福她所选择的对象——
那把少女唤作妻室的人！

注　释：

　　① 本诗可能是写给 Н.Л.索罗古柏（1815—1903）的，她是普希金在彼得堡的女友。

秋 1833
（断 章）

有什么不来到我梦寐的脑中？

——杰尔查文

（一）

十月降临了——林中权桠的树枝
已经摇落了最后的一片枯叶。
秋寒吹拂着——道路都已封冻，
磨坊后的小河还潺潺地流泻，
但池塘已经冻结。我的邻居
正赶忙去到远处的山野里打猎；
啊，玩兴多么浓，冬麦可苦不堪言，
猎犬的吠声激荡在沉睡的林间。

（二）

这才是我的季节；我不爱春天，
我病春：解冻、湿臭、泥泞，令我厌恶；
血在跳荡；情感和思想郁郁不宁；
严酷的冬天比较使我心满意足。

我爱冬天的雪：在月下，伴着女友，
坐上雪橇奔驰——是多么轻快、自如！
而她，在貂皮下温暖焕发，伸过手
紧紧握着你的：啊，火热而且颤抖！

（三）

那是多么畅快，脚蹬着锋利的冰刀
在凝固的平滑如镜的河面上滑行！
还有冬节的那多彩的热闹和欢愉！……
不过，也别说得过分：雪下个不停。
这个，老实说，即使是惯于穴居者，
大熊也终于厌倦。我们不可能一生
都和年轻的阿尔米达①在雪橇上翻滚，
也不能老关在双层窗里，在炉边打盹。

（四）

啊，美丽的夏天！我也许会喜欢你，
假如并不炎热，没有灰尘、蚊子和苍蝇。
你折磨我们，使我们的心智瘫痪，
像田地，我们苦于干旱，情思都不醒，
似乎只有灌水来复苏。唉，我们心里
不想别的，只把冬天老妈妈思念不停：
刚刚用薄饼和美酒送她到了西天，
便又发明冷饮和冰食，来把她悼念！

（五）

人们常常诅咒秋季临末的日子，

然而我，亲爱的读者，却不能同意：
我爱她静谧的美，那么温和而明媚，
就像个孩子，虽然不讨家里人欢喜，
却偏使我疼爱。让我坦白地说吧：
一年四季中，只有秋季和我相宜。
她有很多好处：而我像不虚荣的恋人
执拗地想象她有些什么称我的心。

（六）

应该怎样解说呢？我对她的爱情
就好像，有时候，你也许会属意于
一个肺结核的姑娘：她就要死了
可怜的人儿没有怨尤，没有怒气，
而恹恹枯萎；她的唇边还露着微笑，
墓门已经张开口，她却没有在意：
她的两颊仍旧泛着鲜艳的红润，
今天她还活着——明天呢，香消玉殒。

（七）

啊，忧郁的季节！多么撩人眼睛！
我迷于你的行将告别的容颜；
我爱大自然凋谢的万种姿色，
树林披上华服，紫红和金光闪闪——
在林荫里，凉风习习，树叶在喧响，
天空笼罩着一层轻纱似的幽暗，
还有那稀见的阳光，寒霜初落：
苍迈的冬天远远地送来了恫吓。

（八）

每逢秋天来临，我就重新蓬勃，
俄罗斯的寒冷有益于我的健康；
对于日常生活我又开始发生兴趣，
不断地饥饿，睡梦一连串地翱翔。
血液在我心里欢愉地轻快地跳跃，
我又感到幸福、年轻，沸腾着欲望。
我又充满了生命——这就是我的体质
（请原谅，我不必要地提起这些俗事）。

（九）

我叫人把马牵来，它载着骑马的人
摆着鬃毛，向一片辽阔的荒野驰奔。
在闪亮的马蹄下，冻结的山谷响着
清脆的嗒嗒和薄冰爆裂的声音。
但白日一闪而过。久已忘却的壁炉
又烧起来了——它时而烧得通明，
时而微红——我则拿本书坐在炉边，
或把深长的思索在心里盘算。

（十）

在甜蜜的静谧中，我忘了世界，
我让自己的幻想把我悠悠催眠。
这时候，诗情开始蓬勃和苏醒，
我的心灵充塞着抒情的火焰，
它战栗、呼唤，如痴如醉地想要

倾泻出来，想要得到自由的表现——
一群幻影朝我涌来，似生而又熟识，
是我久已孕育的想象底果实。

（十一）

于是思潮在脑中大胆地波动，
轻快的韵律驾着它的波涛跑开；
啊，手忙着去就笔，笔忙着去就纸，
一刹那间——诗章已滔滔地流出来。
这好像一只船，原来安睡在死水上，
可是，听！突然水手们行动飞快，
爬上，爬下——于是船帆鼓满了风，
这庞然大物冲破波浪，走上航程。

（十二）

它航行着，可是往哪里去呢？……

注 释：

　　① 阿尔米达是意大利诗人塔索所著《解放了的耶路撒冷》中的美女，她以魔法迷醉了许多武士。

"天啊，别让我发了疯" 1833

天啊，别让我发了疯。
不，宁可要木杖，讨饭袋；
不，宁可工作和挨饿。
并不是因为我珍爱
我的理性；并不是因为
我不愿意理性退位：

如果能够随心所欲，
我多么愿意嬉戏着
投入那幽暗的森林！
我愿意热呓而狂歌，
我愿意使自己昏迷
在胡乱而神奇的梦里。

而我会倾听着波浪，
我会满心都是快乐
望着那辽阔的天空，
我会自由，精力蓬勃，
我会像那猛烈的旋风
把田野树林都摇动。

但不幸的是：发了疯

你就像瘟疫般可怕，

人们立刻把你关起，

还戴上锁链，当你傻瓜；

于是隔着铁栅，像野兽，

人们过来和你挑逗。

而且，夜里听到的不是

夜莺的嘹亮的歌唱，

或树林悠悠的喧腾，

而只是同伴的叫嚷，

和值夜看守的骂喊，

尖叫声和哗哗的铁链。

西斯拉夫人之歌①（节选）

（十一）黑心的乔治之歌

不是两只狼在山谷里相咬，
是父子俩人在洞穴里争吵。
老彼得罗骂他的儿子说：
"你这反叛，你这该死的恶徒！
你不怕神主吗？你凭什么
能跟土耳其苏丹争胜负？
你敢和白城的巴夏开火？
你可是长了两个脑袋？
送你自家的命去吧，恶魔，
但为什么要害全塞尔比亚？"
乔治阴沉地回答他：
"老头子，你明明老糊涂了，
要是你狂吠这无理的话。"
老彼得罗气得更厉害了，
他更激烈地吵闹、詈骂。
他说要到白城，把逆子
交给土耳其人，还要告发
塞尔比亚人隐藏的地方。

他走出了幽暗的山洞，
乔治就从后面追赶上：
"回来吧，爸爸，回来吧！
饶恕我那不由己的话。"
老彼得罗不理，径自嚷道：
"你瞧着我的吧，强盗！"
儿子接着跑到老头前面，
跪到了老头儿的脚前。
老彼得罗对儿子看也不看。
乔治又追到他的前面，
抓住了他苍白的发辫，
"回去吧，看在上帝的面上：
你可别引我去走下计！"
老头儿愤怒地把他推开，
依旧向白城的大道走去。
乔治悲痛地、悲痛地哭了，
他从腰带里拔出手枪，
推上了扳机，于是射击。
彼得罗叫了一声，摇摇晃晃：
"扶着我吧，乔治，我受了伤！"
接着便倒在路上，断了气。
儿子向岩洞飞快地跑去；
他母亲出来，碰上了他。
"怎么？乔治，彼得罗在哪里？"
乔治冷峻地对母亲说道：
"老头子吃饭时喝醉了酒，
他睡在白城的大道上了②。"

她猜出了缘故，哭叫起来：

"让老天诅咒你吧，黑心的，

要是你把亲生父亲杀害！"

从那时起，乔治·彼得罗维奇

就被人们叫作"黑心的"。

注 释：

① 西斯拉夫之歌共包括十六首，在 1833 年至 1834 年写成，前言写于 1835 年初。普希金以"西"斯拉夫人指一切国外的斯拉夫人。这些歌都本于塞尔比亚的民间传说。在这十六首歌里，十一首是从法国作家普劳斯帕·梅里美的《古兹拉》译出的。梅里美的这本书是伪造的，但他的歌（用散文写出）还是基于对南斯拉夫民歌的熟识而写成。普希金的《夜莺》和《兄妹》译自乌克·卡拉吉屈的《塞尔比亚歌曲集》。另外三首，《黑心的乔治之歌》《米罗式司令》和《雅内什王子》是普希金自己创作的。

② 根据另一传说，乔治回答他的同志们说："我的老头死了；把他从大路搬开。"（普希金注）

乌 云 1835

啊，暴风雨后残留的乌云！
你独自曳过了明亮的蓝天，
唯有你投下了忧郁的阴影，
唯有你使欢笑的日子不欢。

不久以前，你还遮满了苍穹，
电闪凶恶地缠住你的躯体；
于是你发出隐秘的雷声，
把雨水泻满了干渴的大地。

够了，躲开吧！时令已变换了，
土地已复苏！雷雨消逝无踪：
你看那微风，轻轻舞弄着树梢，
正要把你逐出平静的天空。

"我又造访了" ① 1835

      ······我又造访了
那一角土地；在那里，我曾经
默默度过了流放的两年。
从那时到现在已经十年了，
啊，生活中有了多少变化！
我个人也遵从普遍的规律
有所改变了——但回到这里，
往昔又生动地把我环绕，
仿佛就是昨天，我还游荡在
这片丛林里。

       这是贬居的小屋，
我和我可怜的老乳妈住过。
但老妈妈已经不在，——隔着墙
我再也听不到她沉重的脚步，
和她那勤劳的巡查。

这儿是那丛林茂密的山丘，
我常常静坐在上面，凝视着
下面的湖水，并且沉郁地想到

另一个地方的海岸和波浪②……
湖水一片蔚蓝,广阔地展开
在金黄的田野和绿草原之间;
一个渔夫正划过莫测的水面
身后曳着一只破旧的渔网,
在倾斜的湖岸上散布着
一些村庄——村后是一个
歪歪斜斜的磨坊,它那风车
在风中费力地旋转……

          在祖传的
领地的边沿,有一条道路
伸入山中,在那雨水冲凹的
坡底的路边,有三棵松树:
两棵紧靠着,一棵稍远;
就在这里,每当我在月光下
骑着马经过,那树梢头
便发出熟悉的簌簌的声音,
像对我欢迎。而现在,我骑着马
走过那条路,重又看见了
那三棵树,它们和从前一样,
那熟悉的簌簌声又传到耳边——
但如今,在老根附近的地方
(以前,那里是不毛而又空旷)
却长满了年幼的树林,像一个
绿色的家庭;而矮小的灌木
孩子似的,在它的荫下寄生。

远处孤立着它们沉郁的伙伴

像一个年老的鳏夫：它周围

和从前一样荒凉。

　　　　　　　　你好呀，

我不熟识的、年轻的种族！

我不会看到你日后的壮大，

你会比我的旧识长得更茁壮，

你会遮住它们的头，使过路人

不再看到。但是，请让我的孙儿

听到你们致意的喧声吧，

当他和友人谈过心回家时，

脑中浮着愉快而可喜的思想，

他会在暗夜里从你旁边走过，

并且想起了我……

注　释：

① 1835 年秋，普希金重访他曾贬居两年的米海洛夫斯克村。

② 指黑海和敖德萨。

彼得一世的欢宴^① 1835

船上悬挂的各色彩旗
在涅瓦河上顽皮地翻卷，
水手们的划船的合唱
悠扬地飘过明亮的水面；
皇宫里排开快乐的筵席，
宾客的话声醉醺醺地喧响，
排炮在轰鸣：涅瓦河
远远近近都为之激荡。

啊，在彼得堡的京城里，
伟大的沙皇为什么宴饮？
为什么又是礼炮，又是欢呼，
涅瓦河上摆起了船阵？
可是新的光荣照耀了
俄国的刺刀，俄国的战舰？
可是严酷的瑞典人打败了，
可怕的强敌要求罢战^②？

或许是勃兰特的老船^③
开进了瑞典割让的港湾？

我们所有的年轻的舰队
都来和这位"老爷爷"见面，
因而这些雄赳赳的子孙
排列整齐，面对着老人，
用合唱和礼炮的轰响
表示它们对学术的尊敬？

或者，可是沙皇在庆祝
波尔塔瓦战役的周年，
庆祝那一天，他击败了卡尔，
使自己的祖国免于灾难？
或者因为喀萨琳的诞生？
或者是这创造奇迹的伟人
为了他的黑眉毛皇后的
命名日，举行盛大的宴饮？

不是的！他是要向臣属
宽恕他们的罪，言归于好，
因此摆起欢乐的筵席，
和他们只对着酒杯冒泡；
他的心和容颜一样焕发，
他让他们吻着他的前额；
君臣都为赦免而欢腾，
像是战胜敌人的祝贺。

因此，在彼得堡的京城，
人们欢呼而又笑闹，

涅瓦河上摆起了船阵，

又是管弦之声，又是礼炮，

因此，在这快乐的一刻，

沙皇的酒杯溢满了酒香，

排炮在轰鸣：涅瓦河

远远近近都为之激荡。

注 释：

　①普希金意图通过本诗暗示沙皇，应与十二月党人和解，把他们从西伯利亚赦回。

　②指波尔塔瓦之役，彼得击败了瑞典王卡尔十二。

　③彼得初建海军时，就学于荷兰船长勃兰特的船上。以后这只船就被称为俄国舰队的"老爷爷"，每逢节日，便受到其他船只的致敬。

给 Д.В.达维多夫① 1836

献给你吧，歌者和英雄！
我没有能够追随你
在炮声隆隆的战火中
骑着烈性的马儿驰驱。
我不过是穿着老旧的
巴纳斯的过时的服装，
用温顺的彼加斯当坐骑；
但就在这艰难的职务上，
神奇的骑士啊，就在这里，
你也是我的牧师和队长。
这儿就是我的布加奇——
一眼可以看出来，他是个
滑头和真正的哥萨克！
在你的先遣队中，他简直
可以做一个骁勇的军士。

注 释：

① Д.В.达维多夫(1784—1839)，1812年战争中的英雄，曾领导游击队和拿破仑作战。他又是诗人和军事作家。普希金以新作《布加乔夫暴动史》和本诗一齐送给他。布加奇即布加乔夫之简称。

译宾得芒蒂① 1836

我并不重视有名无实的权利，
尽管不少人为它头晕目眩；
我不想抱怨为什么上天不赐予
美好的命运，使我能辩论税捐，
或者干预帝王彼此别再讨伐；
我也毫不难过：是否我们的报刊
还不能自由地哄骗一些傻瓜，
或者杂志的小丑不能有所施展，
因为受了过敏的审查官的制压。
你看：这不过是文字，文字，文字②。
有一些更好的权利为我珍视；
我要的是一种更可贵的自由；
唉，依赖皇帝也好，人民也好③——
岂不一样？天保佑他们。

　　　　　　　　我只求
对谁都不必理会，任我自在逍遥，
随心所欲，而不必为权势或为了
仆从的制服，压抑自己的良心，
或者改变初衷，或者弯下脖颈。
我愿意任随喜好，到处去游览，

赞叹和欣赏庄严美丽的自然；

或者深感于艺术和灵感的制作

而喜悦得战栗：啊，这才是快乐！

这才是权利……

注 释：

① 这首诗是普希金的原作，伪托翻译，晃为了避免审查的麻烦。宾得芒蒂(1753-1828)是意大利诗人，早年曾同情法国革命。

②"文字，文字，文字"是莎士比亚悲剧《哈姆雷特》中的话，指空洞无物的话或文字。

③ 普希金看出议会制的虚伪性，因此以否定态度谈到它。

"我沉思地走出了" 1836

我沉思地走出了城郊游荡，

无意间，我走到了公共墓场；

花栏杆，小柱子，华丽的墓园，

而那下面，京城的死人正腐烂

在泥淖里，好不易挤进一行行，

像贪婪的客人在乞丐的餐桌上。

这是死去的官吏和商人的墓陵，

费尽廉价的石工荒诞的匠心。

墓上是碑。有的用诗，有的用散文，

把死者的美德、履历、官衔细细铺陈。

有寡妇对老绿帽丈夫的多情的悲恸，

有被盗贼从石柱中间扭出的尸灰瓮，

也有那光滑的坟墓，正张口等待：

看哪些住客次日一早就要迁来——

这一切如此引动我烦乱的思想，

沮丧之感把恶毒带到了我心上，

我想唾一口，跑开……

　　　　　　然而，我多么乐于

在秋高气爽时，在黄昏的静谧里，

去访问那乡村人家世代的墓园，

那儿，死者在庄严的恬静中安眠；
那毫不修饰的坟墓多么天地广阔，
在黑夜，也没有苍白的盗贼出没。
年久的墓石满覆着萎黄的苔藓，
乡民路过时会轻轻地祈祷和长叹。
那里没有破烂的文雅，浮华的尸灰甄，
没有小小的金字塔，掉鼻子的精灵，
但却有广阔的橡树荫蔽着肃静的坟，
它的枝叶在空中摇曳、喧响……

"纪念碑" 1836

我竖起一个纪念碑

——贺拉斯

我为自己竖起了一座非金石的纪念碑，
它和人民款通的路径将不会荒芜，
啊，它高高举起了自己的不屈的头，
　　高过那纪念亚历山大的石柱①。

不，我不会完全死去——我的心灵将越出
我的骨灰，在庄严的琴上逃过腐烂；
我的名字会远扬，只要在这月光下的世界
　　哪怕仅仅有一个诗人流传。

我的名字将传遍了伟大的俄罗斯，
她的各族的语言都将把我呼唤：
骄傲的斯拉夫、芬兰，至今野蛮的通古斯，
　　还有卡尔梅克，草原的友伴。
我将被人民喜爱，他们会长久记着
我的诗歌所激起的善良的感情，

记着我在这冷酷的时代歌颂自由，

　　并且为倒下的人呼吁宽容②。

哦，诗神，继续听从上帝的意旨吧，

不必怕凌辱，也不要希求桂冠的报偿，

无论赞美或诽谤，都可以同样漠视，

　　和愚蠢的人们又何必较量。

注 释：

　　① 亚历山大一世的纪念柱建立在彼得堡的皇宫广场上，1834 年 11 月，在此纪念柱揭幕的前几天，普希金为了避免参加典礼，特地离开了彼得堡。

　　② "倒下的人"暗示十二月党人。

附 录

别林斯基论普希金的抒情诗

（译者按：以下的文字，是从亚历山大·普希金的作品第四章和第五章、就其与本书所选的诗直接有关的方面摘译出来的。为了节省篇幅，凡是提到这里未选的诗的话，都略去。因此，读起来时，恐怕有不连贯和割裂之感，这是应该由译者负责并致歉的。）

普希金出现的时代，适逢作为艺术的诗在俄国刚刚有可能出现的时代。一八一二年是俄国历史上伟大的年代。以它的影响来说，是彼得大帝以后俄国史中最重大的一年。和拿破仑的决死斗争唤醒了俄国的沉睡的潜力，使它在自身上看出了前此未曾意想到的力量和作用。……

我们如果评论普希金的作品，就必须严格地按照写作年代的顺序来观察。普希金之所以和他以前的诗人不同，就在于从他作品的顺序不仅仅可以看出他作为一个诗人的不断的发展，而且可以看出他作为一个人和个性的发展。他在任何一年中所写的诗，不只在内容上，而且在形式上和以后一年所写的必然不同。因此，他的诗不能像杰尔查文，茹科夫斯基和巴杜式科夫的诗似的，按照类别来印行。这一点很重要：它说明了普希金的巨大的创作天才，并且指出了他的诗充满着有机的生命。这有机的生命的源泉在于：普希金不仅推寻诗，他还以生活的现实和永远优美的思想作为诗的土壤。……

把普希金"中学时代"的诗和以后时期的诗作一比较的话，就可以看出他的诗才是多么迅速地生长和成熟。不仅如此，更重要的是：在他"中学时代"的诗作中还可以见到他和他以前诗人的历史的联系。显然，在他成为独立的诗家以前，他首先做过茹科夫斯基和巴杜式科夫的优秀的学生。……

"中学时代"的诗并不太富于诗，但却常常以韵文的优美和精巧使人惊讶。这些诗的风格完全不是普希金的，它是茹科夫斯基和巴杜式科夫的。就诗而论，普希金——那时他还是不到十六岁的青年——虽然远逊于这两个诗人，但在韵文上，不仅有时毫无逊色，甚至是更大胆、更丰富。……

《皇村中的回忆》是以铿锵有力的诗句写出来的，虽然全篇都不过是词藻和夸张而已。……

"中学时代"的诗有几篇已经超脱模仿，透露出纯粹普希金的诗的因素。我们认为这样的诗是:《窗》《心愿》等。它们好坏不等，然而有几篇以那时代的标准看来，简直是优美得很。那个时代是不够精细、不甚求全责备的。

……(普希金在中学毕业以后所写的诗)可以称为"过渡时期"的诗。从这些诗中已经能看出普希金来了；但是，他仍旧或多或少地忠于文学传统，仍旧是他的前代诗家的学生，尽管是常常"青出于蓝"。他成了一个多才多艺的诗人，但还没有独树一帜。他只是孕育着——如果可以这么说——普希金，却还不是一个普希金。在"过渡时期"的诗中可以看到普希金和他以前的文学的活的历史联系。……

我们认为这"过渡时期"的诗是:《安纳克利融的坟墓》《黑色的披肩》《我耗尽了我自己的愿望》《贤明的奥列格之歌》《生命的驿车》《酒神之歌》《你和您》等。

为了使读者更清晰地理解所谓普希金"过渡时期"的诗是

什么，我们想举出纯粹普希金的诗来作一个对照。这些诗是从一八一九年就有的，顺序如下：《独处》(这首诗只在内容上，而不是在形式上，可以算作纯粹的普希金的诗)《给 N.N》《多丽达》《白昼的明灯熄灭了》《葡萄》《海的女神》《缪斯》《征象》《你憔悴而缄默》《致大海》等。

在"过渡时期"的诗中，普希金首先仍旧是前代诗家——尤其是巴杜式科夫——的学生，不过是"青出于蓝"了。他的诗已经比老师们的诗更为优美，而且，就整体而言，有一种成为他的特色的更深厚的坚韧。普希金所特有的因素是主宰这些诗的一种哀歌式的忧郁。从起头就可以看出来，忧郁比欢乐和玩笑更投合、更切近于普希金的缪斯。常常是这样，他的一篇诗开始带着高兴和玩笑的调子，最后以忧郁的情绪收场。这忧郁的情调，仿佛是一篇乐章的最后的旋律，只有它留在你的心灵上，并且把以前的种种印象都盖过了。……普希金的忧郁绝不是温柔脆弱的心灵的甜蜜的哀愁，不是的。它永远是一颗坚强有力的心灵的忧郁；它对读者具有一种魅力，在读者的心底深刻而有力地回荡着，和谐地震撼着他的心弦。普希金从不沉溺于忧郁的情感；的确，这种情感时常在他心里振鸣着，但并没有抹煞心灵别种声音的合奏，以致成为单音。有时候，他在一阵沉郁以后，会像狮子耸动鬃毛似的突然摆摆头，想把悒郁的阴云逐开。这种强烈的乐观情绪尽管没有完全把悒郁抹去，却给了它一种特别的爽气，使心神振作。……在普希金"过渡时期"的诗中，最好的是那些诗作，它们或多或少地透露出忧郁的情调。因此，那些完全没有这种情调的诗，就显得平淡有如散文；而有了它呢，没有意义的诗也成为有意义的了。举例说，《我耗尽了我自己的愿望》这首诗，尽管很薄弱，却会使读者不自主地注意到它的最后一节：

> 就好像当初冬凛冽的风
> 盘旋，呼啸，在枯桠的树梢头
> 孤独的——感于迟暮的寒冷，

一片弥留的叶子在颤抖……

……在"过渡时期"的诗中，我们认为最薄弱的是：《黑色的披肩》等。……

《贤明的奥列格之歌》完全是另外一回事了：诗人知道怎样给这一篇抒情意味多于史诗意味的诗投上一层诗意的朦胧——这朦胧，对于古代英雄和事件以及关于他们的缥缈的流传是很合宜的。因此，这篇作品充满了诗的美，这种美又为蕴蓄其中的哀歌情调和纯俄国风的叙述加强了。普希金甚至能将奥列格的马说得津津有味，使读者也和奥列格一样急欲看看他的战斗的老伙伴的遗骨：

> 英武的奥列格上了马，走出庭院，
> 　　还有伊格尔王子和年老的宾客
> 随他来到德聂伯河边，果然看见
> 　　高贵的马骨在丘陵上暴露着；
> 它受过雨水的冲洗，又蒙上尘埃，
> 　　附近丛生着野草，在风中摇摆。

这首诗在情调和内容上都能一贯地保持含蓄，最后一节很成功地总括了全诗的意义并且在读者的心上留下了充足的印象。

（以上摘译自《亚历山大·普希金的作品》第四章）

每一首诗应该是主宰诗人的强烈思想的果实。假如我们只把这思想认作是诗人理性活动的结果，那我们就不仅抹杀了艺术，而且连艺术的可能性也否定了。如果真是这样的话，做一个诗人有什么困难呢？有谁不会由于癖性、需要和有利可图，而成了诗人呢，假如他只须转一些念头，然后就把它填进一些现成的形式中？不，无论就诗人的天性或就诗人的自白来看，诗人并不是这样去做的。凡是本性不是诗人的人，尽管让他想出一些深刻的、真实的、甚至神圣的思想吧，他的作品仍旧不过是烦琐的、虚假的、畸形的、死的——它不会说动任何人，很快地就使人不相信它所表达的思想，尽管这思想是完全真实的！然而，群众却正是把艺术看成了这种东西，他们所要求于诗人的也正是这种东西！在闲暇的时候转一转念头，想出一个优美的思想，然后把它装进一个杜撰的形式中，好像钻石必须镶在金子上。这就是一切了！不，我们所说的不是这种思想，这种思想绝不能主宰诗人而成为他的生动的作品的胚胎！艺术并不容纳抽象的哲学思想，更不容纳理性的思想：它只容纳"诗的思想"，而这"诗的思想"——它不是三段论法，不是教条，不是箴言，而是活的热情，是"真情"（παφος）……这"真情"是什么意思呢？——创作并不是消遣，而是艺术的制作；不是喜好或者闲暇的果实，而是艺术家的劳作；就连艺术家自己也往往不明了，一个新作品的胚胎怎样落到了他的心上，他怀着这"诗的思想"的种子，有如母亲在子宫里怀着胎儿。创作的过程和生育的过程是相仿的，在这过程中不能没有痛苦——自然是精神的痛苦。因此，如果诗人决心从事于这种工作，这意味着有一种强有力的力量，有一种不能克服的热情在推动着他。这种力量，这种热情——就是"真情"。"真情"的诗人是思想的爱好者，他把它当作美丽的生命那样爱着，心里充满了它。他并不是以智慧，以理性，以感情，或者以任何一种心灵的本能来冥想它，他是以整个的全面的精神内容来对待它的。因此，他的作品的思想，并不呈现为抽象的思想，并不是死的形式，而是活的创造，其形式的富于生命的美说明了那作品是有着庄严的思想的。在这里面没有织补或者安装的迹象，没有思想和形式的分野，而是由两者融合而成的整个的有机体。思想是从理智产生的；但能产生和创造活的东西的，是爱情而非理智。因此，抽象的思想和诗的思想之间的区别是很明显的：前者是理性的果实，后者是作为热情的爱情的果实。但是为什么我们要把它叫作"真情"，而不叫作"热情"（Страсть）呢？这是因为"热情"这个名词包含着比较属于情绪的概念，而"真情"包含比较属于道德精神的概念。在热情中有很多个人的、自私的、幽暗的，有时甚至是卑鄙低级的因素，因为人不仅可以对一个女人发生热情，也可以对很多女人发生热情；不仅对荣誉有热情，也可以对任何被推崇的事物都有热情；他还可以对金钱、酒和美食发生热情。热情中有很多纯粹是情绪的、血气的、神经的、肉体的和欲望的因素。而真情呢，虽然也有和血液的流动及神经系统的震动相关联的热情，但这种热情是被"思想"在人的心灵里点燃起来的，它是永远朝向着"思想"去追求的。因此，这种热情是纯然精神的、道德的、神圣的。"真情"使单纯由理性所获得的思想转化为对思想的爱情，这爱情充满了力量和热烈的渴望。哲学中的思想是没有果实的；哲学思想通过"真情"才能变为现实中的事件和事实，才能成为活的创造。……

因此，每一首诗都应该是"真情"的果实，都应该充满着"真情"。如果没有"真情"，就不能理解是什么使诗人拿起笔来的，是什么给他一种力量，使他开始并且完成一篇往往很长的作品。因此，说"这篇作品有思想，那篇作品没有思想"是不够精确的，我们应该说："这篇作品的真情何在呢？"或者"这篇作品有真情，那篇作品没有"。这是更为精确的，因为有许多人把"思想"错误地理解为在作品以外到处都可以看到的那种思想了，而实则他们认为所看到的那个思想，不过是为寒伧的形式——那打补丁的衣衫所遮掩的议论罢了，它就常常透过这件破衣衫而露出其赤裸的面目。"真情"则是另外一回事情。除非是完全不懂美学技艺的人，他才能在僵硬而冰冷的作品中看出"真情"，才能无视其中的形式和思想简直像是水和油的汇合，或者像是用白线潦潦草草缝起来的。……

普希金被公认为俄国第一个艺术的诗人，他给俄国带来了作为艺术的诗，而不是抒写情感的美丽的语言。自然，这是可以理解的，他绝不能以一个人的力量做到这种地步。我们在篇首曾经说明俄国文学的整个进程，指出俄国诗的起源和发展以及普希金以前的诗人们所做的贡献。这里我们想重复一下我们所用过的比喻，就是：这些诗人之于普希金，犹如大小河流之于汇合一切的海洋。……我们说过，在《亚历山大·普希金的诗》的第一辑中，受以前诗派的影响的诗比第二辑多，第三辑就完全没有了，但即使是在第一辑中，几乎有半数的诗是属于普希金的独特风格的。这第一辑包括从一八一五年到一八二四年的诗作，它们是按照年代排列的，因此很容易看出：普希金每过一年便减少其为学生和模仿者——尽管是超越了先生的学生和模仿者——的因素，而越来越成为一个独创的诗人。第二辑包括从一八二五年到一八二九年所写的诗，只是在一八二五年一部分诗中还可以见到过去诗派的影响，这影响在以后的诗中便完全消失了。读着普希金的模仿的诗作时，你会感到、并且看到即使在普希金以前，俄国也还是有诗存在着的，但是等你读着他的独创风格的诗时，你就不但不相信，而且完全忘了在普希金以前俄国还有诗的这一回事。因为，他的诗展开了如此奇妙而新鲜的世界！这里，你甚至不能说："它像是那老一套，但又不是那老一套！"相反地，你会不自主地叫出来："不，它完全不是那一套！"杰尔查文的诗句常常是很粗笨、很平淡的，尽管也有时在诗意上鲜明而强烈；然而在诗的格式、文法、造句及音调的要求上，他的诗不只低于狄米特里耶夫，也低于克拉姆金；在这些方面，狄米特里耶夫，甚至奥泽洛夫也在内，远低于茹科夫斯基和巴杜式科夫。有过一个时候，人们不可能不相信在这两个诗人的笔下，俄国诗艺已经达到登峰造极的地步了。可是，若是把这两个诗人的诗艺拿来和普希金的比较，那就恰如把狄米特里耶夫及奥泽洛夫和他们俩人相比较一样。……因此，普希金的韵文，在他的独创性的诗中，显得仿佛是在俄国诗史上的一个突变，和过去截然分开，没有一点相像的地方——这种韵文是此前从未有过的新诗的表现。这是怎样的诗行呵！一方面是古代的雕塑和严格的单纯，另一方面是浪漫诗歌的音韵的美妙的错综，这两者在他的韵文中融合起来了。它所表现的音调的美和俄国语言的力量到了令人惊异的地步；它像海波的喋喋一样柔和、优美，像松脂一样浓厚，像闪电一样鲜明，像水晶一样透明、洁净，像春天一样芬芳，像勇士手中的剑击一样的坚固而有力。它有一种非言语所能形容的迷人的美和优雅，一种耀目的光彩和温和的润泽；它有丰富的音乐，语言和声韵的和谐，它充满了柔情，充满了创造的想象及诗的表现的喜悦。假如我们想以一个词语来概括普希金的诗行特征的话，我们只能说它主要是"诗的""艺术的"——这里包括尽了普希金诗的"真情"的全部秘密。……

　　假如你在读荷马，你会看到充分可能的艺术完整性，但这艺术的完整性并没有占据你的全部注意，你并不单独对它表示惊异；那比一切都更使你注意的是充沛在荷马诗篇中的古希腊人的世界观和古希腊的世界。你处于奥林普斯山的群神之中，你处于战场上的英雄们中间，你不能不迷于这种高贵的单纯，这一度代表全人类的民族的英雄时代的优美的家长制度；但对于你，诗人却好像是站在一旁，他的艺术好像已经必然处于诗篇中，因此你也就不留意他、赞美他了。读莎士比亚时，主要的也不是那个艺术家，而是那其中深邃的、对人心对世界的观察使你注意；而至于艺术，仿佛你已经默认了。同样，对于伟大的数学家，假如你要指出他对于科学的贡献，你并不提起他在详尽地思考和组合符号上的惊人的能力。在拜伦的诗中，首先令你惊讶的是诗人巨大的人格、超凡的勇敢及其思想和情感的傲岸。在歌德的诗中，你看到一个诗人思想家，他是人的内心世界有力的主宰。在席勒的诗中，你怀着满腔敬爱，祝福那为人类宣扬的讲坛，那人道的宣扬者，那崇高及美的事物之热狂的崇拜者。可是在普希金的诗中，与此相反，你首先看到的是以所有诗的媚惑所武装起来的艺术家，他是为了艺术而被召唤来的，他充满了对于美学上美的事物的兴趣和爱好；他爱一切，因此也容忍一切。他的诗中所有的优点和缺点也就在于此——如果是从这个观点来看他的话，你就会加倍地欣赏他的优点并且宽宥他的缺点，把他的缺点看作是他的优点的另一方面和必然的结果。……

　　普希金的使命是可以用我们的文学史来解释的。俄国诗是一种移植而非本土的果实。广义地说，任何诗都应该是生活的表现，应该囊括整个物质的和精神的世界。只有思想能使它做到这种地步。但是，为了表现生活，诗应该首先是诗。如果有一篇作品能够被称为"智慧的、真实的、深刻的，但却是散文化的"，艺术就不会从这里取得任何胜利。这样的作品有如一个面貌丑陋而心灵却伟大的女人，你可以对她表示惊讶，但爱她却是不行的；只要有一点爱情，也比很多的惊讶使人更为快乐，无论是对那个女人或由她引起惊讶的那个男人而言。缺乏诗的诗作从各方面看来都是贫瘠的；一半散文化的作品常常有益于社会和个人，但这益处也只是一半而已。如果有一个国家，人们可以清楚记得它的诗的原始；如果他们的诗不是自己国民生活的果实，而是世界文化的果实，那么，他们为了诗的充分发展，首先必须选择诗的形式；因为，让我们再重复一句吧，诗应该首先是诗，以后再谈表现这个和那个。因此，普希金就成了普希金，而不能是什么别的样子。在他以前，我们连作为人类精神之一面的这种艺术的前影都没有。在他以前，诗只是美丽情感和崇高思想的一种词藻华丽的表现，而这情感和思想并没有组成诗的灵魂；诗只是被依附上去，被当作一个好的目标所应采取的适当的媒介，就好像"真理"这个老婆婆的苍白的脸应该涂上粉和胭脂似的。用诗的形式来表现道德的或其他的思想——这是对于诗的形式的"功效"一种死的理解，由此产生了所谓"教训的诗"。……我们俄国诗在普希金以前恰恰是一种弄甜了的、带有金皮的药丸。因此，真实的、富于灵感的、创造性的诗只偶尔在某一部分中闪烁一下，这闪烁随即没入词藻的汪洋大水里去了。过去在语言、在韵文方面做了不少成绩，然而却还没有作为诗的诗，就是说，还没有这样的诗：它既表现一些东西，发展了某种世界观；又首先是以诗而出现！普希金的使命就在于：他把诗的秘密给俄国生动地展开了。他既然要把艺术的诗永远变为俄国本土的东西，那么，为了俄国诗有可能在以后表达任何倾向和认识而不必害怕其不成为诗，不必害怕它会转入词藻的散文，——那么，很自然地，普希金便应该以专一的艺术家而出现。

　　再者，我们在普希金以前虽然有过诗人，但没有一个艺术家的诗人。因此，即使是普希金青年时期的不成熟作品如《鲁斯兰和柳密拉》《强盗弟兄》《高加索的俘虏》和《巴奇萨拉的喷泉》等的出现也给俄国诗史划了一个崭新的阶段。所有的人们，不只是受教育的，甚至很多初识字的人，都看到了这些作品不只是新的诗作，而且是全新的诗，是他们在俄国语言中不但从未见有前例的，而且连提示的话都没有看到过。于是整个俄国的读书界都在传诵这些叙事诗，少女们把它写在笔记本上，学生们在讲堂上背着先生抄写，店员们坐在柜台后面也在抄录。不仅京都如此，外省荒远的地方也是如此。那时候，人们开始理解，诗和散文的区别不只在于用韵和节奏，而有韵的诗不见得就是诗。这意味着人们已经不把诗领会为外形的东西，而着重它的内质了。假如俄国现在竟而出现了远超过普希金的诗人，他的出现也绝不会引起如此的热闹、如此普遍的热情，因为在普希金之后，"诗"已经不是一种未曾见过、未曾听说过的东西了。因此，如果现在有一个诗人，像普希金似的主要地当作艺术家而出现，尽管他的天才不下于普希金，甚至高过了他，他也只能得到很微弱的成功罢了。

　　假如说，在我们所列举的那些叙事诗中显然有很多艺术性把它们和以前诗派的作品断然分开，那么，在普希金独创性的抒情诗中，艺术性就更多了。对于我们，那些叙事诗已经丧失了很多从前的魔力，我们已经习惯于它们，从而超越了它们；然而普希金的这些标志着他的独创性的小诗，即使在如今，也仍旧和它们刚问世时一样具有迷人的美。这是可以理解的：叙事诗需要天才的成熟，这要依赖于生活经验，而这种成熟在《鲁斯兰和柳密拉》《强盗弟兄》和《高加索的俘虏》中还一点都没有，在《巴奇萨拉的喷泉》中也只是见到艺术的成功。可是从另一方面说，青春却是抒情诗的最好的时期。叙事诗要求对于人和生活的知识，要求创造个性和它特有的一种戏剧的安排。抒情诗则要求感觉的丰富——人的胸中最富于感觉的时候难道不是青春的夏天吗？

　　普希金的韵文的秘密并不在于"他能把俯顺听命的文字融化

在适度的节拍中并且用铿锵的韵脚收尾"这种艺术，而是在于诗的秘密中。要紧的是，普希金的心灵中有诗，这诗不是从书本学来的，它存在于自然里，生活里。这艺术是为人所固有的，它的印记打在诗人的全部创作上。智慧是生命的精神，是它的灵魂；而诗呢，是生命的笑，是它明亮的凝眸，其中有迅速变幻的感觉所透露的各种彩色。我们时常碰到一种女人，自然赋予了她们稀有的美貌，然而她们的异常端正的面容令人觉得有些严峻，举止也不够优雅：这种女人可能是艳丽夺目，令人惊讶；但是她们却不能令人莫名其妙地激动得心跳，她们的美不能够引起爱情，因为其中没有生命，没有诗。同样，如果某种天性，某种生命没有渗透着诗，它是只能引起人们冷冷的惊讶；它所散发的不是爱情——那生命的神圣的火焰，而只是坟墓的阴冷。……

　　普希金是第一个偷到维纳斯腰带的俄国诗人。不只是他的韵文，而且他的每个感觉，每种情绪，每个思想，每种情景都充满着诗。他从一个特别的角度来审视自然和现实，而这个角度是为诗所独有的。普希金的缪斯是一个贵族少女，她既有炫人的美色和直觉的雅致，又有微妙的情调和崇高的单纯；而且，她美丽的内慧更为娴熟的形式所发展和提高了。这形式就像她的第二天性一样地切合于她。

　　普希金的独创性的短诗始于一八一九年，以后在每一年中数目都有增加。在这些诗中我们首先注意到的是那些小诗，它们无论在内容或形式上都和古风有别，并且是它们第一次指出了：普希金主要地是具有艺术家的成分。这些小诗的单纯的迷人的美是难以用言语表达的，它们是韵文中的音乐，诗中的雕刻。那浮雕似的表现，那严谨的古典主义油画似的思想，那充分的、有首有尾的整体，那润饰的柔和及细腻，这一切都表明普希金是古代艺术巨匠的卓越的学生。他并不懂希腊文；一般说来，由于他的多方面的、深刻的艺术本能，他不必像所有欧洲的诗人那样在古典文学中去进修。这种诗的天性不必费什么力气便会成为世界的公民；生活的任何领域对他都不陌生。生活和自然，无论他在哪里看到它们，都会很情愿地、很自如地落在他的彩笔之下。

在普希金以前有相当多的希腊诗的翻译和模仿……然而，尽管如此，在俄文中，除了葛涅吉屈所译的《依里亚特》的有些片段外，就没有一行诗可以说是古诗的近似。这情形一直继续到巴杜式科夫。巴杜式科夫的缪斯是和希腊的缪斯同宗的，他从《希腊诗集》中很优越地译出了一些。普希金并没有从《希腊诗集》中译出过什么，但他却以它的精神写作，甚至于他创作的诗都可以被认为希腊诗的翻译的典范了。这是超越了巴杜式科夫的一大步，这还没有计算普希金在韵文方面的巨大的成就。请看吧，普希金是多么希腊味地，或者是多么艺术地（这两者是没有区别的）讲着他自己的艺术的使命！这使命是他在幼年时期就已感到了的。这是题名为"缪斯"的一首诗。(原诗从略——译者)……

在普希金的集子中，凡是以六步格写的诗都洋溢着古典精神。其中特别优秀的诗有《工作》等。……

……谁不熟知普希金的《十月十九日》呢？在对每个遥远的朋友打过招呼以后，诗人说：

> 快快畅饮吧，趁我们还在世上！
> 唉，我们的人数每一刻都在稀少；
> 有的不在了，有的流落在远方，
> 命运看着我们凋零；时光在飞跑；
> 我们不知不觉地佝偻，受冷，
> 渐渐地，我们接近了生命的来处……
> 啊，谁将活得长久，到了老年
> 必须独自一个把这日子庆祝？
>
> 不幸的朋友！在新的一代中间
> 他成了厌烦、陌生而多余的客人，
> 想起了我们，和我们团聚的一天天
> 他会以战栗的手掩覆着眼睛……

这是多么深刻而又明亮的悲哀！每一个思想都充满着不依赖于形式的诗，它是艺术的、轻盈的、透明的，它单纯而且不必任何暗喻！这个寿命超过所有友人的人，在新的一代中成了无聊的、多余的、陌生的外人，在追忆自己的友人时以颤抖的手覆盖着眼睛——这不只是诗的文字，这简直是诗的图画！然而，停留在悲哀的感情上是与普希金的精神不合的：像是乐曲的庄严的一转，这首诗以充满振作的情绪的诗行为结束：

> 但愿他高兴的，尽管有些悒郁，
> 把这个日子在杯酒里消磨，
> 一如此刻的我，一个受贬的隐士
> 无怨而又无忧地把它度过。

普希金不肯让命运征服自己，他要从命运的手里夺回哪怕是他所丧失的快乐的一部分。作为一个真实的艺术家，他有对真理的直觉、对现实的衡量，这给他指出了"此地"不但是悲哀的源泉，也是快慰的源泉；这使他在他的病根中去寻求治疗。确实，这种依赖于自己天性内在的富藏的能力使他对天赋和自己的道路的正确性比对冥想的浪漫主义的浮夸有更多的信心。

……普希金的诗的特性之一，他超越了过去诗家最主要的优点之一是：他的诗丰满，完整，含蓄，匀称。情感的诗、自然的诗就没有这种性质：它永远是在用力表现情感，因此匀称和适度就消失在丰盛之中了。在艺术的诗中，适度、匀称、丰满和均衡是作为诗篇基础的创作概念和艺术思想的自然结果。普希金的诗从来没有多余或不足的地方，它的一切总是那么适度，那么恰当其位，结尾和开头总是切合的——而你读完他的一篇诗时，你会觉得，把任何地方予以增减都是不行的。在这方面，和在其他方面一样，普希金主要地是一个艺术家。

作为真实的艺术家，普希金无需为自己的作品选择诗意的对象。对他说来，所有的对象都是同样充满了诗的。举例说，他的《欧根·奥涅金》是一篇叙述当代现实生活的诗，它不只有充分的诗，也有充分的散文，尽管它是用诗行写的。这里有可爱的春天，炎热的夏天，阴湿多雨的秋天和结冰的冬天；这里有京都，有乡村；有京都的纨绔子弟的生活，也有地主的平静的生活，这些地主谈着一种无味的谈话：

> 不是谈酒，就是谈收成，
> 或者谈狗，或者谈亲戚。

这里有冥想的诗人连斯基，也有捣乱鬼和挑拨是非的沙列茨基，你一会儿看到堕入情网的女人的美丽的面孔，一会儿又看到咖啡座的侍役的睡眼蒙眬，手里拿着一把扫帚在开门——这一切都有各自的美并且充满了诗。普希金不必到意大利去找美丽的自然景物：美丽的景色就在他手边，就在俄罗斯，在它的一望无垠的单调的草原上，在那永远灰色的天空下，在它悒郁的乡村和那富豪而又贫寒的城市中。曾被过去的诗人看作卑下的东西，普希金认为是高贵的；曾被他们认为散文的，到普希金的手里成为诗了。普希金认为秋天比春天或夏天都更好，你读着他的诗时，就不可能不同意，至少是当你还未看到他对春天或夏天的描写的时候：

> 人们常常诅咒秋季临末的日子，
> 然而我，亲爱的读者，却不能同意：
> ……（以下二十二行略，详见《秋》——译者）

俄国的冬天比俄国的夏天——这"南方冬天的翻版"——更好，因为它像个冬天的样子，而俄国的夏天呢，它不像夏天，犹如舞台上装饰起来的乡村不像森林里实际的乡村。普希金是第一个理解到这一点的人，他也是第一个人这样描写它。他笔下的冬天充满了灿烂豪华的诗 (见《冬天的早晨》——译者)。

普希金的诗惊人地忠实于俄国的现实，无论是它描写俄国的自然或俄国的性格，因此，人们异口同声地称他为俄国民族的、俄国人民的诗人。……

有一度人们把普希金和拜伦相比。我们已经不止一次指出过了：这种比较是不值一顾的，因为很难找到两个诗人在性情上，从而在诗的"真情"上，比普希金和拜伦更相左的了。人们之所以臆测他们相似，是由于对普希金性格的错误的理解。他们在知道普希金的沸腾的、放荡的、充满忧患的青春以后，便以为他一定有一颗骄傲的、倔强的、巨人的心。他们根据他的十几篇手抄的诗，根据其中的一些响亮而大胆——但并不因此而不虚夸和浮浅——的句子，便以为看到了作为诗的宣教者的普希金。对一个人的判断没有比这更错误的了！普希金在三十岁的时候便和沸腾的青春的忧患告别了，这不仅表现在诗中，也表现在他的生活中。他以后读着"手抄稿"的小诗时，连自己也好笑起来！可是，还是言归正传。问题主要是在于：普希金的性情 (关于这，最可靠的见证是他的诗) 是内倾的、冥想的、艺术的。普希金和热情的活动家不一样，他没有为活的强烈的思想所吸引，把生命和才赋都贡献给它，从而感到幸福和苦痛。他不属于任何学派，任何教义；主体上作为艺术家的他是居住在他的诗的世界观的领域里的。无论在历史或者在自然中，他只看到他的诗的灵感的题目，他只看到那适用于他的创作概念的材料。为什么他是如此而非如彼的？这究竟是普希金的优点还是缺点呢？如果他要是换一种样子，使他走着不合于自己性情的一条道路，那么，毫无疑问，这就会产生比缺点更严重的问题了。事实上是，既然他只忠于自己的性情，我们便不能因此夸奖他或者责备他，一如我们不能因为一个人有了黑色而非棕色的头发，或者是棕色而非黑色的头发，便来夸奖或者责备他。

普希金的抒情诗特别证实了我们对他的性格的猜想。他的抒情诗的基本情感虽然是深刻的，却永远那么平静而温和，而且多么富于人情味！这种情感永远呈现在如此艺术地平静的、如此优雅的形式中！普希金的短诗的内容是什么呢？几乎永远是爱情和友谊，——是这种情感经常主宰着他，成为他一生快乐与悲哀的直接的源泉。他不否定，不诅咒，他带着爱情和祝福观察一切。他的忧郁尽管是深沉的，却也异常光亮而透明；它消释灵魂的痛苦，治疗内心的创伤。普希金的诗——尤其他的抒情诗——的普遍的色泽是人的内在的美和抚慰心灵的人情味。于此，我们想附加一句：如果说任何"人的"情感是美丽的，因为它是人的而非野兽的，那么，普希金所表现的情感，作为"诗的情感"，是尤其美丽的。我们这里并没有把诗的形式计算在内；普希金所用的形式永远具有高度的美。我们只是说，普希金每首诗的基本情感，就其自身说，都是优美的、雅致的、娴熟的；它不仅是人的情感，而且是作为艺术家的人的情感。在普希金的任何情感中永远有一些特别高贵的、温和的、柔情的、馥郁的、优雅的东西。由此看来，阅读他的作品是培育人的最好的方法，对于青年男女有特别的益处。在教育青年人，培育青年人的感情方面，没有一个俄国诗人能够比过普希金。普希金的诗没有奇幻的、空想的、虚伪的、怪诞的理想的东西；它整个浸透着现实。它没有给生活的面貌涂上脂粉，它只是把生活本然的真实的美表现出来。因此，普希金的诗不像那些点燃幻想的诗的谎话，它是无害于青年的；而谎话则使人于初次和现实冲激时就和现实处于不利的关系中，使人不合时宜地、枉然地把自己的精力消耗在与现实的致命的斗争上。尽管浸透着现实，普希金的诗——姑且不谈它的形式之高度的艺术的优美——还充满着怎样艺术的优美的情绪呵！我们这个论断还需要佐证吗？——几乎普希金的每一首诗都可以作证。如果我们要想引证的话，那会是无尽无休的。我们只须提出一系列诗的题名就够了；不过，为了使读者对我们的论点获得生动而有力的印象起见，还是抄出几篇在情调和内容上都不相同的小诗来看看吧：

你憔悴而缄默；忧郁在折磨着你；
啊，那少女的唇边也失去了笑意。
……（以下十八行略。详见《你憔悴而沉默》——译者）

　　这是多么美妙，多么雅致，充满了心灵和温柔，热情而又——用普希金爱用的词句来说——迷人！在任何其他俄国的诗人中，你都不会找到一首诗是这样美妙地把人的优美情绪和在造型方面美丽的形式结合起来的。

每当我为爱情与幸福所陶醉，
屈着膝默默无言地和你相对，
每当我望着你，心里想：你是我的——
你知道，亲爱的，我是否想望声誉。
……（以下二十六行略。详见《声誉的想望》——译者）

　　这里是青春的感情；然而，即使在成人的感情中，我们一样可以看到那动人心灵的人情味，那艺术的魅力：

我爱过你：也许，这爱情的火焰
还没有完全在我心里止熄；
可是，别让这爱情再使你忧烦——
我不愿有什么引起你的悒郁。
我默默地，无望地爱着你，
有时苦于羞怯，又为嫉妒暗伤，
我爱得那么温存，那么专一，
啊，但愿别人爱你也是这样。

　　最后，下面一首诗表现这被生活所诱惑、但却没有被克服的诗人为一种芬芳而神圣的造物所唤起的优美的人情味的感情：

不，不，我不该，不敢，也不能

再疯狂地追求爱情的激动，

……（以下十四行略。详见《给——》——译者）

除去我们已提到和部分引用过的独创性的诗以外，再请读读以下这些诗吧：《焚毁的信》《给克恩》《冬天的道路》《天使》《夜莺和玫瑰》《预感》《小花》《美人啊，那格鲁吉亚的歌》《灿烂的城》《夜的幽暗》《仿哈菲斯》《当那声势滔滔的人言》《正是冬天》《我的名字》《每当我在喧哗的市街漫步》《茨岗》《我以前是怎样的》《毒树》《征象》《美人》《默认》《心愿》《两个骑士》等。这里只有《为了遥远的祖国的海岸》没有提到。我们没有提它，因为我们要说：普希金的优美的人情味的缪斯无论在情绪上、在形式上，都没有创造一首诗比这更馥郁、更纯净、更神圣而又更美丽的。……

我们说过，阅读普希金的诗会有力地培养、发展和形成人的优美的人情味的感情。是的，我们这样说，却不是对我们文坛上的旧教徒、我们严峻的道学家、我们冷酷无情的反审美的理论家意气用事。在俄国诗人中，绝对没有谁能获得作为教育家的普希金的至上权力，无论这教育的对象是青年、成年，或老年（如果他们还没有丧失审美的、人的感情的话）的读者，因为我们没有看到有谁在俄国是比普希金（尽管他是一个伟大的天才和诗人）更"道德"的。旧教徒们还不能忘记：罗蒙诺索夫是怎样；苏马洛科夫是怎样，以及其他某某是怎样的，等等。而至于道学家和理论家们呢（你会看到他们很多人是目光狭小的；尽管他们善良甚至怀着好意，但更多的是法利赛人和塔杜夫①们），当他们把普希金当作不道德的诗人来口诛笔伐的时候，他们老是喜欢引用普希金青年时期的爱情题材的戏作以及长诗《鲁斯兰和柳密拉》（这其中是有很多放纵的诗句的）；或者他们就指出《恶魔》和《枉然的赋予》。然而，首先，他们却不去怪罪杰尔查文——《磨坊主人》和很多相当放纵的歌颂酒色的诗的作者，因为，不管这些诗怎么样，他们认为他是一个极为"道德的"诗人。同样，他们在颂扬波格坦诺维屈的《杜申卡》时，也没有觉得这首诗有什么"不道德"。那么，普希金犯了什么过错呢？他们自己也不明白；因此，还是让我们别理会这些人吧。……提到了《恶魔》，我们得指出：普希金的"恶魔"并不是最恶的一种，它不过是个捣乱的精灵，还不是魔鬼。再附带说一句：普希金既然不是魔鬼派的诗人，他就有权力怀疑——而且，有时候，他也不可能不感到怀疑的痛苦，因为，只有枯燥、麻木、琐碎的人才没有这种痛苦。《枉然的赋予》这首诗只是精神沮丧和心灵幻灭的瞬间的产物，而这种瞬间对于任何活力充沛的性格都是不可避免的。这首诗绝不是普希金诗的"真情"的表现，它只是那种"真情"的偶然的对立。普希金的诗的使命、特点及趋向更明显地表现在《在欢娱或者无聊的时候》（见原诗——译者）。

既然普希金的诗主要地在于对世界作诗的观察，既然它把世界现状无条件地认为如果不是永远有趣味的，至少必然是永远合乎智慧的——因此，在他的诗中，观察的性质多于冥想的性质，情感和观察多于思索。他的缪斯因为浸润着人情味，所以能为生活中的矛盾和不和谐感到深刻的痛苦；但是，她却以一种无我的态度体察这一切，仿佛她已默认了这一切的不可避免性，因此她的心中并不怀有一个更好的现实的理想和信心，对世界的这种看法是普希金性情的自然流露；由于有这种看法，他才有表现在诗中的优柔、温和、深邃和崇高，但他的诗的弱点也在于这种看法。无论如何，照观点来分，普希金是属于这样的一种艺术派别，这种派别如今在欧洲已经完全过时了，甚至在我们中间也已产生不了任何伟大的诗人。现在，分析的精神，百折不挠的研究，热情的、充满着爱和恨的思想成了真实的诗的生命。在这点上，时代超越了普希金的诗，并且从他大部分的诗作剥夺了那当时的活的兴趣，这种兴趣只有当它是对现实的苦恼而迫切的问题的满意回答的时候才能产生。这一点我们还要在论莱蒙托夫的文章中更充分更明白地申说，并且要常常着眼于这两个诗人的比较。

《诗人和群众》一诗表现了普希金的艺术的信条。他蔑视群众，而当他们要求他用诗琴来警世时，他所回答的话充满了高贵的骄傲和有力的愤怒：

> 走开吧！安详歌唱的诗人
> 和你们能有什么关系？
> 你们尽量僵化和腐蚀吧，
> 琴声又怎能使你们复活！
> ……（以下十四行略）

事实上，那一群人是可笑而又可怜的，他们所认为的诗，就是把训世的思想填进有韵律的诗行中的一种艺术。他们一成不变地要求诗人给他们歌唱爱情、友谊或其他；如果在一篇充满灵感的诗作中没有一般的训世思想，他们就不能看出诗来。然而，假如达到真理的路不是群众所同意的那样，甚至也不是相反的那样，而是根本忘了他们的存在，用智慧的眼睛来体察事物，那么，不仅是诗人们，就连普希金比作诗人的教士们便都没有任何意义了，如果虔诚的群众不来到祭坛参加祭祀的话。群众，那作为广大人民的群众，是民族精神的守护者，是民族生活的灵感的直接源泉。如果人民（指广大的人民）的精神素质不能产生伟大的诗人，那它就不配称为一个民族或者国家——顶多只能叫它是一种部落罢了。一个诗人的诗如果不是从他那民族坚实的生活土壤里滋生出来的，他就不能是、也不能被叫作人民的或民族的诗人。除去褊狭或幼稚的人而外，应该没有人非要诗人一成不变地歌颂美德、或者用讽刺鞭挞罪恶不可；但是，每一个有理性的人都应该首先要求诗人的诗给他们当前的问题作一种解答，或者至少是为了当前这些沉重的不能解决的问题而充满了苦恼。有哪一个诗人只写他自己，或者是蔑视群众，只为自己而写作，那恐怕只有诗人自己是他的作品的读者了。事实上，普希金之所以是伟大的诗人，是在于他用生动美丽的形式体现了诗的观察，而不在于他之为一个思想家和问题的解答人。他的《诗人》一诗是很杰出的，在这首诗里他表现了这个思想，即诗人在阿波罗要求他作神圣的祭祀以前，比所有轻浮的儿童都更轻浮，可是等他一听到神的召唤，他的心灵立刻摇落了生活的不纯洁的梦，像一只醒了的兀鹰。可是，这个思想现在却完全不合用了。我们现代麇集着很多诗人，他们拿起笔来显得很庸俗鄙陋，可是当他们慷慨激昂的时候，却高贵而纯洁；谁都看得出来，他们不过是"做小事情的伟大的人"。谁都知道，这些先生们很快就会把自己写枯竭了。他们为了金钱，用漂亮的话向人宣扬他们一度相信的、而现在连自己也不相信的一些事情。我们的时代只能在这样的艺术家之前屈膝，他的生活是他的作品的最好的注释，而他的作品是他的生活的最好的辩解。歌德并不是一个庸俗的"思想、情感和诗"的兜售者；但是他对实际问题和历史的冷淡就使他不能成为我们时代的思想的首脑，尽管他有着广阔的包罗万象的天才。普希金的性格是崇高的、高贵的。然而他对于自己的艺术作用的看法，一如现代欧洲式教育的缺点，是成为他的热情——那最初鼓舞他的创作的热情——逐渐冷却的原因。的确，过度的热情使他创作了在艺术上最薄弱的作品，但在这些作品中可以看到一个强烈的、为主观的追求所鼓舞的性格。而当普希金愈成为一个完善的艺术家时，他的性格也就愈为隐藏而至消失，代之以由他的诗的观察所创造的陌生而豪华的世界。读者们一方面固然不能体味他的晚期作品的艺术完整性（自然，这不是普希金的过错）；另一方面，他们也正确地要在普希金的诗中去寻找比原来更多的道德及哲学的问题（自然，这也不是读者的过错）。而这之间，普希金所选择的道路却是为他的性情和使命所规划好了的：他没有选择，他只是要成为他自己，但却不幸地处在这样一个时代，这时代对类似他那种禀赋的人是很不友善的。他的艺术凌驾了那个时代，却没有怎样争取到那个社会。无论如何，我们不能怪罪普希金，质问他为什么不能越出他的性格的牢固的圈子——为什么他要以人的和艺术家的诚恳，写出他卓越的《致诗人》这首诗来（见原诗——译者）。……

没有任何俄国诗人能以如此不可思议的艺术、以幻想的灵活的水淋洒在相当粗糙的民歌材料上。请读读《求婚郎》《淹没的人》《鬼怪》和《冬晚》吧——你会惊异地看到，诗人竟能以他的魔杖从枯索的素材中唤出怎样神奇的诗的世界。……这些诗比他的所谓童话诗——那些畸形的歪曲，以及本来就已经畸形的诗——要高出千百倍了。但关于这，以后还要提到。……

普希金的诗的特征之一，那使他和以前的诗派严格区别的东西，是他的艺术的诚恳。他不夸大，不粉饰，不要弄效果；他从没有派给自己一种辉煌的、自己却是他未曾经历过的感情。他到处都显示着本然的样子。例如，他听到了他从前爱人的死的消息，为了这爱情他的诗琴曾经唱过哀歌——这是多么好的一个机会来表现自己的绝望，来描绘热情的悲哀和难忍的痛苦啊！……可是，我们的心——它对我们却是一个永远的谜。……这致命的消息在普希金身上却产生了这样一种效果(见《在她的祖国》——译者)。是的，人的心是不可捉摸的；也许，正是这同一个人使普希金以后写出了他那奇异的诗《为了遥远的祖国的海岸》。……表现了普希金的艺术的诚恳，还有他那首优美的诗《回忆》：在这首诗里，他没有像一般琐碎的庸才所卖弄的那样，给自己披上魔鬼的辉煌的外套；相反地，他只是当作一个普通人，为自己的迷误而哭泣。这并不意味他有着比别人更多的迷误；而只是说，作为一个强烈而高贵的灵魂，他的痛苦是深刻的，而且他要在自己的良心裁判之前尽情地认错。……同样艺术的诚恳甚至在他对自然的描写中可以看得出来。一般庸才是特别容易在这上面卖弄的，他们喜欢给它点缀上原来没有的彩色，把俄国的自然擅自变为意大利的景色的模仿。我们可以举出普希金的异常卓越的一首诗《我的红光满面的批评家》为证——也许是因为这缘故吧，这首诗是很少为人注意和重视的(见原诗——译者)。

再说几句关于普希金所描绘的自然。他异常忠实而生动地观察了自然，但并没有深入它的秘密的语言。因此，他只是刻画、而没有冥想它。这也帮助说明了：他的诗的"真情"是纯粹艺术的，并且证明他的诗是教育和培养人的感情的有力的工具。如果要找出普希金和欧洲哪一个伟大的诗人相近似的话，他是和歌德最近似的，而且他比歌德更能左右情感的发展和形成。就一方面说，这是他超越歌德的地方，证明了他比歌德更忠实于自己的艺术天性；而从另一方面说，歌德是远超越了普希金，因为歌德富于思想，他不只是描绘自然，而且使自然展开了它庄严的深奥的秘密。因此有了歌德对自然的泛神主义的观察：

> 宇宙这本书他能看得懂，
> 海洋的波浪和他讲过话。

在歌德看来，自然是一本打开的书，它的内容是思想，在普希金看来，自然是一幅生动的图画，充满了难言的、然而是沉默的美。《乌云》和《雪崩》两首诗是普希金观察自然的典型的例子。这两首诗尽管在内容上很不相同，却都是诗的彩色画。……

我们已经说过普希金的诗的多样性，他有一种惊人的才能，使他轻而易举地往来于相反的生活领域之间。从这方面说，抛开内容的思想深度不谈，普希金很像莎士比亚。甚至他的短诗也和长诗以及戏剧作品一样证明了这一点。……

现在，我们要给所有的短诗作一个总的观察，并且顺便讨论其中的几首。第一辑的诗我们几乎已经都谈到了。普希金在创作生涯的开头时，对于当代历史有很大的兴趣——这倾向很快地就转变了。他歌唱过拿破仑的死，在《致大海》那首卓越的诗中，他称颂了死去的拜伦，他用了不多而有力的字句刻画了拜伦的性格：

> 他是由你的精气塑成的，
> 海啊，他是你的形象的反映：
> 他像你似的深沉、有力、阴郁，
> 他也倔强得和你一样。

安德列·谢尼埃在古代古典主义的诗歌上是普希金的部分的

老师；在以这个法国诗人命名的哀歌中，普希金以不少美丽的诗句忠实地描绘了他的形象。在《十月十九日》这首优美的诗中，我们把普希金当作一个人而认识了，我们看出他是一个可爱的人。这篇诗整个是回忆他的遥远的朋友们的。其中有很多描绘已经成为过去：例如，现在，像连斯基(《奥涅金》中的人物)那样热情的青年诗人已经过去了，再没有人谈着"席勒、荣誉和爱情"；然而，也就因为这缘故，这首诗对我们特别珍贵，因为它是过去时代的生动的纪念碑。《浮士德一幕》并不是歌德的伟大诗篇的翻译，而是普希金仿照歌德精神的创作。这是一首优美的诗，但它的"真情"却不完全是歌德式的。《乌鸦朝着乌鸦飞翔》这首美丽的小诗是华尔德·司考特的民歌的俄国风味的改作。第三辑的诗大多贯穿一种忧郁，但不是哀歌式的忧郁。它甚至不是忧郁，而是受生活考验的天才在生活当中深刻观察到的严肃的思想。这一辑的很多诗所表现的人情味的情感达到了一种内心的平静。《在你的青年时代》和《每当我在喧哗的市街漫步》这两首诗特别是这样的。后一首诗的结语是精彩的，最后一节很有点像歌德的泛神主义的世界观。诗人为切近的死的预感而忧伤，于是他想到要永远安息在自己的乡土，尽管对于无知觉的尸体，在哪里腐烂都是一样的——

> 但愿有年幼的生命嬉戏，
> 欢笑在我的墓门之前，
> 但愿冷漠的自然在那里
> 以永远的美色向人示艳。

这首诗和普希金其他的，尤其是长篇的诗作一样，使我们明显地看到：他给生活冲突所指出的道路、他和命运不可避免的悲剧所做的妥协并不在于出世的冥想，而是在于依赖自己的精神力量……

　　一般说，第三辑诗包括了普希金最好的短诗……在韵文方面也得到很大的成功。可是当时的刻薄的批评家却认为这一辑是很拙劣的。《高加索》《雪崩》《加兹别克山上的寺院》《夜的幽暗》《仿哈菲斯》《当那声势滔滔的人言》《冬天》《冬天的早晨》《我的名字》《每当我在喧哗的市街漫步》《致诗人》《鬼怪》《工作》《茨岗》《圣母》《回声》《给诽谤俄罗斯的人》《囚徒》《冬晚》《枉然的赋予》《我以前是怎样的》《毒树》《征象》等——在所有这些诗中，一八三二年的吹毛求疵的批评家们却看出了普希金无疑是衰落的征兆！……有教养的人们原来就是如此的！

……在第四辑中有《书商和诗人的会谈》，这原来是放在《欧根·奥涅金》第一章之前作为序言的一首诗。这篇诗属于普希金创作的早期，在第四辑中出现是完全不恰当的。

应该列为第五辑短诗的、属于普希金晚期创作的还有:《乌云》《北风》《彼得大帝的欢宴》等。在普希金死后所刊印的第九卷诗作中，最优秀的有:《纪念碑》《为了遥远的祖国的海岸》《三条泉水》《罗曼斯》《不寐章》《两个骑士》《招魂》《我的红光满面的批评家》《秋》《英雄》《给索罗古柏》《默认》等。

普希金的精神在晚期达到了怎样浑圆的高度，可以由以下两首小诗看出来——《哀歌》和《三条泉水》(原诗从略——译者)。

我们要用果戈理的意见来结束对于普希金的抒情诗的评论。这意见，自然，是比我们在这里无论怎样做文章都说得更多而且更好的:

"普希金的短诗——这是一个美丽的合集，他在这里表现了各个方面，而且，显然，比他的长篇叙事诗所表现的更为广泛。这些短诗里有几篇是如此突出地光彩夺目，任何人都不难理解;而另一方面，大多数的作品，也就是最精彩的作品，在广大的读者看来仿佛是很普通的，可是要想理解它们，必须有异常精微的嗅觉，并且要有比只能辨识突出的和强烈的特征更高超的味觉。要做到这一步，必须你自己多多少少是这样一个浪荡子，他对于那油腻口重的食品早已餍足了，他不再吞食小鸟，犹如他不想吃顶针一样;他只喜欢这样的菜，这菜好像有一种完全说不出的奇怪的味道，和经常大嚼家里厨子的出品的那种喜悦是完全两样的。他这个短诗集给人呈现了一系列最炫人眼目的图画。这里是一个明朗的世界，那只有古代人才熟悉的世界，在这个世界里自然是被生动地表现了出来，好像是一条银色的河流，在这急流里鲜明地闪过了灿烂夺目的肩膀，雪白的玉手，被乌黑的鬈发像黑夜一样笼罩着的石膏似的颈项，一丛透明的葡萄，或者是为了醒目而栽植的桃金娘和一片树阴。这里包含着一切：有生活的享乐，有朴素，有以庄严的冷静突然震撼读者的瞬息崇高的思想。这里没有一泻无余的骈丽的辞藻，这种辞藻堆砌的结果是：其中每个词句只有当它和别的词句连起来成为一大片时才以其压人的体积显得是有力的；但如果把那个词句分出来，它就变得脆弱无力了。这里没有美的辞藻，这里只有诗；这里没有外表的炫耀，一切是单纯的，充满了并非突然呈现的内在的光彩。一切是那么简洁，这才是纯粹的诗。话是不多的，却都很精确，富于含蕴。每一个字都是无底的深渊；每一个字都和诗人一样地把握不住。因此就有这种情形，你会把这些小诗读了又读，而那些显著地闪耀着一个思想的作品，反而不会有这种优点。

"我总是很怕听到很多闻名的文学研究者和专家对于这些短诗的批评。这些人我是很信赖的，不过直到如今还没有听到他们在这个题目上的议论。这些短诗可以说是一个试金石，可以试出批评者的口味的高低和审美的情绪。多么不可解的事情！好像它们不是为一切人了解的东西！这些诗是这样朴素而崇高，这样鲜明，这样热情，这样放纵情欲而又这样孩子般的纯洁。怎么能不理解它们呢！可是，唉，这却是无可否认的事实：当一个诗人越是诗人的时候，他就越写出只为诗人所熟悉的情感，那么，很明显，环绕他的群众也就越少，终至于到这种地步；他竟可以用手指数出那真正能欣赏他的人来了。"

注 释：

① 法利赛人和塔杜夫（莫里哀同名戏剧的主人公）都以贪婪著称。

编著者：本书因是穆旦译普希金诗的选本，因此本文中提及的部分诗歌书中并没有收入。为了完整呈现译文，故不再对文本进行删减。

"名家音频讲播版"：听名家讲名著

★著名作家+知名学者+一线名师倾情打造，权威、专业

★提纯名著精华，跟随名家半小时读完一本书

★音频讲播，多元体验，带您品味文学名著的不朽魅力

局外人	马　原	知名作家
红字	马　原	知名作家
神曲	欧阳江河	诗人、批评家
日瓦戈医生	刘文飞	翻译家、中国俄罗斯文学研究会会长
普希金诗选	刘文飞	翻译家、中国俄罗斯文学研究会会长
月亮和六便士	朱宾忠	武汉大学英语系教授
静静的顿河	周　露	浙江大学外语系副教授
傲慢与偏见	周　露	浙江大学外语系副教授
少年维特的烦恼	梁永安	复旦大学中文系副教授
了不起的盖茨比	唐建清	南京大学文学院副教授
源氏物语	王　辉	湖北大学日语系副教授
红与黑	梁　欢	湖北大学法语系副教授
包法利夫人	邓毓珂	湖北大学日语系副教授
巴黎圣母院	程红兵	语文特级教师
羊脂球	李镇西	语文特级教师
一千零一夜	肖培东	语文特级教师
老人与海	柳袁照	语文特级教师
小王子	孙建锋	语文特级教师
名人传	张文质	教育学者
海底两万里	罗　灼	语文教师
悲惨世界	谌志惠	语文教师
格列佛游记	宋丽婷	语文教师
基督山伯爵	黎志新	语文教师
呼啸山庄	樊青芳	语文教师
高老头	孟兴国	语文教师
钢铁是怎样炼成的	李　秋	语文教师
欧也妮·葛朗台	刘　欢	语文教师

扫码听刘文飞讲
《普希金诗选》